루미곰의
스칸디나비아 언어
여행회화, 단어

스웨덴어, 덴마크어, 노르웨이어 비교

꿈그린 어학연구소

루미곰의 스칸디나비아 언어 여행회화, 단어

발 행 2023년 09월 06일
저 자 꿈그린 어학연구소
펴낸곳 꿈그린
E-mail kumgrin@gmail.com

ISBN   979 - 11 - 976263 -2 -6

루미곰의 스칸디나비아 언어
여행회화, 단어

머리말

이 책은 스웨덴, 덴마크, 노르웨이 3개국의 언어를 대조해 볼 수 있도록 정리한 스칸디나비아 언어 여행 회화 문장 및 단어 비교 책입니다.

북유럽 여행을 하게 되면 보통 한나라에만 체류하는 것이 아니라 인근 3,4 개국 정도 같이 방문하는 경우가 많기에, 이 책을 통해 북유럽 각국 언어의 기초 지식을 알고 간다면 북유럽 국가들을 여행하며 좀 더 쉽게 현지어를 접할 수 있을 것입니다.

특히 이 책은 테마별로 약 600개의 기초 단어 및 350개의 기본 회화를 3개의 언어로 비교, 정리하여 북유럽에서 지내면서 각국의 기초 언어 습득을 쉽게 할 수 있도록 하였습니다. 물론 각 문장마다 국제 음성 기호(IPA)를 추가하여, 발음의 차이를 좀 더 깊이 있게 알 수 있도록 하였습니다.

노르웨이어, 덴마크어, 스웨덴어의 경우 타 유럽어에 비해 문법 및 어휘 등 유사한 점이 매우 많습니다. 따라서 한 표현을 여러 언어로 비교해 볼 수 있다면, 새롭게 배우는 언어의 표현을 다시 찾아가며 외우는 수고를 덜 수 있음과 동시에 해당 표현을 좀 더 빨리 숙

지할 수 있을 것입니다.

이 책과 기존에 출판된 '루미곰의 스웨덴어 여행 회화, 단어', '루미곰의 덴마크어 여행 회화, 단어', '루미곰의 노르웨이어 여행 회화, 단어'의 차이점은, 기본 틀은 비슷하나 내용이 완전히 같지 않다는 점에 있습니다. 이 책의 경우 스칸디나비아 언어 셋을 직접 대조하는 데 중점을 두었기에, 비교해 보기 쉽도록 내용을 각색하여 문장의 단순화에 집중하였습니다.

따라서 기존 나라별 여행회화 단어 시리즈를 구입하신 독자라 할지라도 이 책에서 많은 통찰을 얻고 공부하실 수 있도록 구성했습니다. 또한 기존 세 권의 경우 독자의 편의를 위해 발음을 한글로 기입하였으나, 이 책에서는 국제 음성 기호를 넣음으로써 정확성을 높였습니다. 좀 더 깊이 있는 문법 설명은 나라별 '루미곰의 기초 언어' 시리즈를 참조하시기 바랍니다.

이 책을 통하여 많은 분들이 북유럽 생활 및 여행에서 도움을 얻고, 북유럽 언어 공부에 재미를 느낄 수 있기를 바랍니다.

2023년 09월
꿈그린 어학연구소

차 례

기억할 기본 표현

(S: 스웨덴어, D: 덴마크어, N: 노르웨이어)

네.

S	**Ja.** /jaː/
D	**Ja.** /jɑ/
N	**Ja.** /ja/

아니요.

S	**Nej.** /neːj/
D	**Nej.** /nai/
N	**Nei.** /nɛi/

~하고 싶어요.

S   **Jag vill** .... /jag vɪl/

D   **Jeg vil** .... / jai vil/

N   **Jeg vil** .... /jɛi vɪl/

~를 원합니다.

S   **Jag skulle vilja ha** …

        /jag ˈɧəlːɛ ˈvɪlːjɑ: ha/

D   **Jeg vil gerne have** …

        /jai vil ˈgæːg̊nə ˈhɑːvə /

N   **Jeg vil gjerne ha** …

        /jɛi vɪl ˈjɛrːnə ha/

~가 있으세요?

S   **Har du** ...? /har du/

D   **Har du** …? / hɑ ˈdu/

N   **Har du** ...? /har du/

~가 필요해요.

S   **Jag behöver** .../jag bəˈhøːvər/

D   **Jeg behøver**… / jai bəˈhøːo̯ʌ /

N   **Jeg trenger** ... /jɛi ˈtrɛŋər/

~해도 돼요?

S   **Kan jag**...? /kan jag/

D   **Kan jeg** ...? / kɑn jai /

N   **Kan jeg** ...? /kan jai/

~할 수 있으세요?

S   **Kan du** ....? / kan du/

D   **Kan du** ....? / kɑn du/

N   **Kan du** ....? /kan du/

~를 아세요?

S   **Vet du** ....? / veːt dyːr/

D   **Ved du** ....? / veð du /

N   **Vet du** ....? /vɛt du/

모릅니다.

S   **Jag vet inte.** / jag veːt ɪntə/

D   **Jeg ved ikke.** / jai veð ˈikət/

N   **Jeg vet ikke.** /jɛi vɛt ˈɪktə/

안녕!

S   **Hej!** / hɛj/

D   **Hej!** / haj/

N   **Hei!** /hæi/

안녕하세요!

S   **Hallå!** /ˈhaloː/

D   **Halløj!** /ˈhaløːi/

N   **Halo!** /ˈhɑːlu/

안녕하세요! (아침)

S   **God morgon!** / ɡuːd ²mɔrːɔn/

D   **God morgen!** / ɡoːd ˈmɒːɣɐn/

N   **God morgen!** /ɡuːd ˈmɔrɡən/

안녕하세요! (낮)

S   **God dag!** / ɡuːd ²daːɡ/

D   **Goddag!** / ˈɡoːdˌdɑː/

N   **God dag!** /ɡuːd ˈdɑːɡ/

안녕하세요! (저녁)

S   **God kväll!** / ɡuːd ²kvɛlː/

D   **God aften!** / ɡoːd ˈafʔtn̩/

N   **God kveld!** /ɡuːd ˈkʋɛl/

14

좋은 밤 되세요! (밤 인사)

S   **Godnatt!** / guːdˈnatː/

D   **Godnat!** / ˈgoːdˌnæd̥/

N   **God natt!** /guːd ˈnɑt/

안녕! (헤어질 때)

S   **Hej hej!** /ɧɛj ɧɛj/

D   **Hej hej!** /haj haj/

N   **Hei hei!** / hæi hæi /

안녕히!

S   **Hejdå!** / ɧejˈdoː/

        Adjö!   /aˈjøː/

D   **Farvel!** / ˈfɑʁʋl̩/

N   **Farvel!** /ˈfɑrʋɛl/

        Ha det bra! /hɑ dɛt brɑ/

다음에 봐요.

S   **Vi ses!** / viː ˈseːs/

D   **Vi ses!** / viː ˈsɛs/

N   **Vi sees!** /vi ˈseːs/

잘 자요!

S   **Sov gott!** / suːv ɡɔtː/

D   **Sov godt!** / soːv ˈɡɒd/

N   **Sov godt!** /soːv ɡɔt/

생일 축하합니다!

S   **Grattis på födelsedagen!**

/ ˈgratːɪs poː ²føːdɛlsɛˌdaːgɛn/

D   **Tillykke med fødselsdagen!**

/ ˈtʰiləkə mɛ ˈføːlsəsdaːgən/

N   **Gratulerer med dagen!**

/gratʉˈleːrər mɛd ˈdaːgən/

즐거운 성탄절 되세요.

S   **God Jul!** / guːd ²jʉːl/

D   **God jul!** / goːd ˈjul/

N   **God jul!** /guːd ˈjʉːl/

새해 복 많이 받으세요.

S   **Gott nytt år!** / gɔt ˈnʏt ²oːr/

17

D **Godt nytår!** / ɡoːd ˈnyːd̥ʌɐ̯/

N **Godt nytt år!** /ɡuːt nʏt ˈoːr/

02

안 부

오랜만입니다.

S   **Det var länge sen!**

/dɛt var ²lɛŋ:ə seːn/

D   **Det var længe siden!**

/ d̥ɛt væg̊ ˈlɑŋə ˈsiːðən/

N   **Lenge siden sist!** /ˈlɛŋə ˈsiːdən ˈsɪst/

잘 지내요?

S   **Hur mår du?** / hʊr mɔːr dʉː/

D   **Hvordan har du det?**

/ ˈʋɒɡ̊ʌn ˈha ˈdu ˈdeː/

N   **Hvordan har du det?**

19

/ˈhvɔrdaŋ har du dɛt/

어떻게 지내세요?

S   **Hur står det till?** / hʊr stɔːr dɛt til/

D   **Hvordan går det?** / ˈʊɒɡʌn ˈgɒː ˈdeː/

        Hvordan står det til?

        /ˈʊɒɡʌn ˈsd̥ɒː ˈdeː/

N   **Hvordan går det?** /ˈhvɔrdaŋ gɔr dɛt/

        Hvordan står det til?

        /ˈhvɔrdaŋ stɔr dɛt til/

잘 지냅니다.

S   **Jag mår bra.** / jag mɔːr braː/

D   **Jeg har det godt.** / jai̯ ˈhɑ ˈdeː gɔd/

N   **Jeg har det bra.** /jɛg har dɛt bra/

20

좋아요, 고마워요.

S　　　**Bara bra, tack.** / ²bara bra: tak/

D　　　**Godt, tak.** / gɔd ˈtɑg/

N　　　**Bare bra, takk.** /ˈbɑːrə bra, tak/

당신은요?

S　　　**Och du?** / ɔk dʉː/

D　　　**Og du?** / ʌ ˈdu/

N　　　**Og du?** /ɔg du/

당신은 어떠세요?

S　　　**Hur är det med dig?**

　　　　/ hʊr ɛr dɛt mɛd dɪj/

D　　　**Hvad med dig?** / ʋɑd mɛ ˈdeː/

N　　　**Hva med deg?** /va mɛ dɛg/

21

나쁘지 않아요.

S   **Inte så dåligt.** / ²ɪntə soː ²dɔːlɪt/

D   **Ikke så dårligt.** / ˈikə sɒ ˈdɒːɐ̯lɪ/

N   **Ikke så dårlig.** /ˈɪktə so ˈdɔːrlɪ/

아주 좋지는 않아요.

S   **Inte så bra.** / ²ɪntə soː braː/

D   **Ikke så godt.** / ˈikə sɒ ˈgʌd̥/

N   **Ikke så bra.** /ˈɪktə so bra/

그런말을 듣게 되어 유감입니다.

S   **Jag är ledsen att höra det.**

       / jag ɛr ²leːdsən at ²høːra dɛt/

D   **Jeg beklager at høre det.**

22

/ ˈjɛg bəˈklɑːgə ˈad ˈhøːrə ˈdeʔd/

N   **Jeg beklager å høre det.**

/jɛg bəˈklɑːgər oː ˈhøːrə dɛt/

03

자 기 소 개

처음 뵙겠습니다.

S   **Trevligt att träffa dig!**

/ ˈtrɛvːlɪkt at ˈtrɛfːa dej/

D   **Hyggeligt at møde dig!**

/ ˈhykəli ad ˈmøːðə di/

N   **Hyggelig å møte deg!**

/ˈhygəlɪ å ˈmøːtə deɪg/

만나서 반갑습니다.

S   **Jag är glad att få träffa dig.**

/ jɑːg ær glad at foː ²trɛfːa dɪg/

D   **Jeg er glad for at møde dig.**

/ jaɪ̯ ˈɛ̞ ˈglæð fɒʊ̯ɐ ad ˈmøːðə ˈdaɪ̯/

N　　**Jeg er glad for å møte deg.**

/jɛg ər glɑːd fɔr å ˈmøːtə deɪg/

당신의 이름은 무엇입니까?

S　　**Vad heter du?** / vɑːd ²heːtər doː/

D　　**Hvad hedder du?** / ʋɑd ˈheðɐ du/

N　　**Hva heter du?** /va ˈheːtər du/

제 이름은 ~ 입니다.

S　　**Jag heter...** / jɑːg ²heːtər/

D　　**Jeg hedder ...** / jaɪ̯ ˈheðɐ /

N　　**Jeg heter ...** /jɛg ˈheːtər /

직업이 무엇입니까?

S   **Vad jobbar du med?**

         / vɑːd ²jɔbːar doː mɛd/

D   **Hvad arbejder du med?**

         / ʋad ˈaʁpəi̯ðɐ du mɛð/

N   **Hva jobber du med?**

         /va ˈjɔbər du mɛd/

저는 ~ 입니다.

S   **Jag är...** / jɑːg ær/

D   **Jeg er ...** / jai̯ ˈɛɐ̯ /

N   **Jeg er ...** /jɛg ər /

몇 살이세요?

S   **Hur gammal är du?**

/ hʉːr ²gamːal ær doː/

D   **Hvor gammel er du?**

/ ʋɒ ˈɡaməl ɛg̊ du/

N   **Hvor gammel er du?**

/vɔr ˈɡaməl ər du/

~살 입니다.

S   **Jag är … år gammal.**

/ jɑːg ær … oːr ²gamːal/

D   **Jeg er ... år gammel.**

/ jai̯ ˈɛg̊ ... ˈɔg̊ ˈɡaməl/

N   **Jeg er ... år gammel.**

/jɛɡ ər ... oːr ˈɡaməl/

기혼이신가요?

S   **Är du gift?** / ær doː jɪft /

D   **Er du gift?** / ɛɐ̯ du ˈgiːd /

N   **Er du gift?** /ər du gɪft /

저는 미혼입니다.

S   **Jag är singel.** / jɑːg ær ²sɪŋɛl/

D   **Jeg er single.** / jai̯ ˈɛɐ̯ ˈsɪnələ/

N   **Jeg er singel.** /jɛg ər ˈsɪŋəl/

인칭대명사

	스웨덴어	덴마크어	노르웨이어
나	jag	jeg	jeg
당신	du	du	du
그, 그녀	han / hon	han / hun	han / hun
우리	vi	vi	vi
당신들	ni	I	dere
그들	de	de	de

*De 는 2인칭 단수 존경의 의미로도 쓰인다.

의문사

	스웨덴어	덴마크어	노르웨이어
누가	vem	hvem	hvem
언제	när	hvornår	når
어디서	var	hvor	hvor
무엇을	vad	hvad	hva
어떻게	hur	hvordan	hvordan
왜	varför	hvorfor	hvorfor

사람 관련 단어

	스웨덴어	덴마크어	노르웨이어
사람	person	person	person
남자	man	mand	mann
여자	kvinna	kvinde	kvinne
소녀	flicka	pige	jente
소년	pojke	dreng	gutt
쌍둥이	tvillingar	tvillinger	tvillinger
아기	spädbarn	spædbarn	spedbarn
아이	barn	barn	barn
어른	vuxen	voksen	voksen
미스	fröken	fröken	fröken
미스터	herr	herr	herr
동료	kollega	kollega	kollega
가족	familj	familie	familie
부모	föräldrar	forælder	forelder
아버지	far	far	far
어머니	mor	mor	mor
이웃	granne	nabo	nabo
아들	son	søn	sønn
딸	dotter	datter	datter
남편	make	ægtemand	ektemann
아내	fru	kone	kone
부부	par	par	par
자매	syster	søster	søster

형제	bror	bror	bror
할머니 /외할머니	farmor /mormor	bedstemor	farmor /mormor
할아버지 /외할아버지	farfar /morfar	bedstefar	farfar/morfar
손주	barnbarn	barnebarn	barnebarn
사촌	kusin	fætter/ kusine	fetter/ kusine
친척	släkting	slægtning	slektning
남자 친구	pojkvän	kæreste	kjæreste
여자 친구	flickvän	kæreste	kjæreste
삼촌/외삼촌	farbror /morbror	onkel	onkel
고모/이모	faster /moster	tante	tante

31

미안합니다.

S   **Ursäkta!** / ²ər²sɛk:ta/

D   **Undskyld!** / ˈʊnsɠyl /

N   **Unnskyld!** /ˈʉnskʏlt/

죄송합니다.

S   **Jag beklagar.** / jɑ:g bɛk²la:gar/

      Jag är ledsen. /jɑ:g ɛr ˈle:d.sən/

D   **Jeg beklager.** /jɑ bəˈkla:ə/

N   **Jeg beklager.** /jɛg bəˈklɑ:gər/

정말 죄송합니다.

S   **Jag är mycket ledsen.**

        / jɑːg ær ˈmyːkɛt ²leːdsɛn/

D   **Jeg er meget ked af det.**

        / jai̯ ʌ ˈmɑi̯ˀ kɛð ɑp d̥ɛ /

N   **Jeg er veldig lei meg.**

        /jɛg ər ˈvɛlɪ ˈlɑɪ ˈmeːg/

미안해요, 실례합니다.

S   **Ursäkta mig!** / ²ɵr²sɛkːta mai̯/

D   **Undskyld mig!** / ˈʊnsg̊yl ˈmai̯ˀ /

N   **Unnskyld meg!** /ˈʉnskʏlt mei̯/

괜찮아요.

S   **Det är okej.** / dɛt ær uːˈkɛj/

33

D	**Det er okay.** / dɛd ɛɐ̯ ˈʌgaɪ̯ /
N	**Det er greit.** / dɛ ɛr ˈgræɪ̯t/

제가 방해했나요?

S	**Stör jag dig?** / stœr jɑːg dɪg/
D	**Gener jeg dig?** / ˈjɛːnɐ jɑɪ̯ ˈʌɪ̯/
N	**Forstyrrer jeg deg?** /fɔrˈstʏrər jɛ ˈdɛɪ̯/

걱정 마세요.

S	**Oroa dig inte!** / ʊˈroːa dɪg ²ɪntə/
D	**Ikke bekymre dig!** /ˈikə bəˈkymʀə ˈdaɪ̯/
N	**Ikke bekymre deg!**
	/ˈɪkə beˈkʏmrə deɪg/ ·

별일 아닙니다.

S   **Det gör ingenting.**

      / dɛt gøːr ²ɪnːəntɪŋɛntɪŋ/

D   **Det gør ikke noget.**

      / ɖɛ ˈgœ̞ˌ ˈnɪʌ ˈnou̯.ɖə /

N   **Det gjør ikke noe.** /dɛt ˈjøːr ɪkt noɪ/

신경쓰지 마세요.

S   **Glöm det.** /glœm dɛt/

D   **Glem det.** / ˈglɛm ɖɛ /

N   **Glem det.** /glɛm deɪ/

유감입니다.

S   **Jag tycker synd om dig.**

      / jɑːg ˈtʏkər sʏnd ɔm dɪg/

35

D **Jeg har ondt af dig.**

/ jɛ ˈhɑʊ̯ˀ ˈɔnd ˈæ ˈdɑɪ̯/

N **Jeg synes synd på deg.**

/ jɛ sʏnəs ˈsʏn ˈpoː ˈdæɪ̯/

05

감 사

~를 축하해요.

S   **Grattis på...** / ˈgratːɪs poˈ/

D   **Tillykke med...** / ˈtilʲəkə mɛ ˈmeð /

N   **Gratulerer med..** / gratʉˈleːrər meː /

고맙습니다.

S   **Tack!** / tak/

D   **Tak!** / tɑg /

N   **Takk!** /tɑk/

도와 주셔서 감사합니다.

S   **Tack för hjälpen.** / tak føːr ˈjɛlːpən /

D   **Tak for hjælpen.** / tak føɡ̊ ˈhjɛlpn̩ /

N   **Takk for hjelpen.** /tɑk fɔr ˈjɛlpən/

정말 감사합니다!

S   **Tack så mycket!** / tak soː ²mʏkːɛt/

D   **Mange tak!** / ˈmaŋə tɑɡ /

            Tusind tak! / ˈtusið tɑɡ /

N   **Takk så mye!** /tɑk soː ˈmyːə/

            Tusen takk! /ˈtʉːsən tɑk/

너무 친절하세요.

S   **Så snällt av dig.** / soː snɛlt av dɪɡ/

38

D   **Hvor venligt af dig.**

           / ˈvoɐ̯ ˈvɛnli ˈɑːð dai/

N   **Så snilt av deg.**

           / soː snɪlt ɑv deɪ/

뭘요.

S   **Var så god.** / var soː goːd/

D   **Vær så god.** / væɐ̯ so ˈgoːˀ /

N   **Vær så god.** /væʁ soː guːd/

    * Var så god (스웨덴어), Vær så god (덴마크어, 노르웨이어)는 겸양의 표현외에도 무언가를 누군가에게 허락하거나 제공할 때 쓰는 정중한 표현입니다. 따라서 이는 "여기 있어요," "천만에요," 또는 "그러세요"등과 같이 다양하게 번역될 수 있습니다.

별것 아닙니다.

S   **Det var inget.** / dɛt var ˈɪŋːɛt/

D   **Det var ingenting.** /d̥ɛd̥ vaʁ ˈiːŋət/

N   **Det var ingenting.** / dɛt vaʁ ˈiŋəntɪŋ/

천만에요!

S   **Ingen orsak!** / ²ɪŋən ²ʊrːsɑːk/

D   **Ingen årsag!** /ˈɛŋən ˈɔg̊sɑ/

N   **Ingen årsak!** /ˈɪŋən oːrˈsɑːk/

저도 좋았는걸요.

S   **Det var mitt nöje.** / dɛt vaʂ mɪt ˈnœjə/

D   **Det var min fornøjelse.**

    / d̥ɛt vaʁ ˈmiːn fʊg̊ˈnœjəlsə/

N   **Det var min fornøyelse.**

    /dɛt var mɪn fɔrˈnøɪəlsə/

06

부 탁

저좀 도와주실 수 있으세요?

S **Kan du hjälpa mig?**

/ kan du ˈjɛlːpa ˈmeː /

D **Kan du hjælpe mig?**

/ kɑn du ˈhjælpə ˈmai̯ /

N **Kan du hjelpe meg?**

/kɑn du ˈjɛlpə meɪ/

뭐 좀 여쭤봐도 되나요?

S **Får jag fråga dig något?**

/ foːr jag frɔska dɛj ˈnoːɡɔt/

D **Kan jeg spørge dig om noget?**

41

/ kʰan jaj ²spœʌəə ˈdeɪ ɔm ˈnoːðə/

N   **Kan jeg spørre deg om noe?**

/kɑn jeɪ spœrə deɪ ɔm nɔʏ/

물론이죠!

S   **Självklart!** /ˈɧɛlːfklaʈ/

D   **Selvfølgelig!** /ˈselɪˌføləjə /

N   **Selvfølgelig!** /²sɛlvˌfœlgəli/

이것을 가져도 되나요?

S   **Kan jag ta detta?** / kɑn jaj ta ˈdɛtːa/

D   **Kan jeg få dette?** / kɑn jai̯ g̊ɛ ˈd̥ɛsə /

N   **Kan jeg ta dette?** /kɑn jeɪ tɑ dɛtː/

그럼요, 여기 있어요.

S   **Visst, gå vidare.** /vɪst, go: ²viːdarɛ/

D   **Selvfølgelig, gå videre.**

     /ˈsel̩føləlɪ, go: ˈviːðə/

N   **Selvfølgelig, gå videre.**

     /ˈsɛlfɔlɪ, gɔ: ˈviːdərə/

* Var så god (스웨덴어), Vær så god (덴마크어, 노르웨이어)또
한 이 상황에서 쓰일 수 있다.

제가 도와드릴게요.

S   **Låt mig hjälpa dig.**

     / loːt mej ˈjɛlːpa dɛj /

D   **Lad mig hjælpe dig.**

     / lai̯ ˈmai̯ʔ hjælpə ˈda̯i̯ /

N   **La meg hjelpe deg.** /la mɛ ˈjɛlpə deɪg/

43

네, 무엇을 도와드릴까요?

S   **Ja, hur kan jag hjälpa dig?**

/ ja, hʊr kan jag ˈjɛlːpa dɛj /

D   **Ja, hvordan kan jeg hjælpe dig?**

/ ja ˈhoʊ̯və ˈkʰan ˈjai̯ˀ ˈhjælpə ˈdai̯ /

N   **Ja, hvordan kan jeg hjelpe deg?**

/ja ˈhɔrvɔr kɑn jeɪ ˈjɛlpə deɪg/

아니요, 죄송해요.

S   **Nej, förlåt.** / nej fœrˈloːt /

D   **Nej, undskyld.** / nai̯ ˈunɕɡyl /

N   **Nei, beklager.** /nɛɪ bəˈklɑːgər/

아니요, 지금 시간이 없어요.

S   **Nej, jag har inte tid nu.**

/ nej jag har ˈɪntə tiːd nuː /

D   **Nej, jeg har ikke tid nu.**

/ nai̯ ˈjai̯ ˈhɑ ˈnaiɡ̊ə ˈtiːˀ nu /

N   **Nei, jeg har ikke tid nå.**

/nɛɪ jeɪ hɑr ɪkt tiːd noː/

잠시만요.

S   **Vänta en minut, tack.**

/ ˈvɛnːta ɛn ²mɪnʊt tɑk/

D   **Vent et øjeblik, tak.**

/ ˈvɛnd̥ ˈæd̥ ˈøːjəbl̥iɡ̊ ˈtɑg /

N   **Vent et øyeblikk, takk.**

/ vɛnt ɛt ²œɣəblɪk ²tɑk/

좋습니다.

S   **Okej.** / uː ˈkɛj /

D **Okay.** / ˈʊˈkʰɑw̞ /

N **Greit.** /ɡræɪt/

아마도요.

S **Kanske.** / ²kanːska /

D **Måske.** / ˈmɔsɰ̊ə /

N **Kanskje.** /ˈkɑnskə/

07

날 짜, 시 간

오늘은 무슨 요일이죠?

S **Vilken dag är idag?**

/ ²vɪlkən daː ɪr ²iː ˌdaːg /

D **Hvilken dag er det i dag?**

/ ˈhʊiḻkən ˈd̥ɑɒ̯ e ˈd̥ɑɒ̯ ˈiː ˈd̥ɑɒ̯ /

N **Hvilken dag er det i dag?**

/ˈhvɪlkən dɑːg ər deɪ ɪ dɑːg/

오늘은 화요일입니다.

S **Idag är det tisdag.**

/ ²iː ˌdaːg ɛr dɛt ²tɪs ˌdaːg /

D **I dag er tirsdag.** / iː ˈd̥ɑɒ̯ ʌ ˈtʰiːɐ̯ˌd̥ɑɒ̯ /

47

N   **I dag er det tirsdag.**

/iː dɑːg ər dɛt ˈtiːʁsdɑːg/

오늘은 며칠입니까?

S   **Vilket datum är det idag?**

/ ²vɪlkɛt ˈdɑːtʊm ɛr dɛt ²iː ˌdɑːg /

D   **Hvilken dato er det i dag?**

/ ˈhʊilkən ˈdaʊto ʌ ˈd̪aʊ ˈiː ˈd̪aʊ /

N   **Hvilken dato er det i dag?**

/ˈhvɪlkən ˈdɑːto ər dɛt ɪ dɑːg/

오늘은 3월 9일입니다.

S   **Idag är den nionde mars.**

/ ²iː ˌdɑːg ɛr deːn ²nɪ²uːndə maʂ /

D   **I dag er den niende marts.**

/ iː ˈd̪aʊ ʌ ˈdeːn̥ ˈniːnəðə ˈmaʁd̥s /

48

N   **I dag er den niende mars.**

/iː dɑːg ər dɛn ˈniːəndə mɑʂ/

지금은 몇 시입니까?

S   **Vad är klockan?** / vaːd ɛr ²klɔkːan /

D   **Hvad er klokken?** / ˈʋad ɑ ˈkʰlʌĝən /

N   **Hva er klokken?** /vɑ ər ˈklɔkən/

4시 5분입니다.

S   **Klockan är fem över fyra.**

/ ²klɔkːan ɛr feːm ²øːvər ˈfyra /

D   **Klokken er fem over fire.**

/ ˈkʰlʌĝən ʌ ˈfeːm ˈoːvɐ ˈfiːɐ̞ /

N   **Klokka er fem over fire.**

/ˈklɔkə ər fem ˈoːvər fiːʁ/

4시 15분입니다.

S   **Klockan är kvart över fyra.**

/ ²klɔk:an ɛr kvɑrt ²øːvər ˈfʏra /

D   **Klokken er kvart over fire.**

/ ˈkʰlʌɡ̊ən ʌ ˈkʰvau̯d ˈoːvɐ ˈfiːɐ̯ /

N   **Klokka er kvart over fire.**

/ˈklɔkə ər kvɑʀt ˈoːvər fiːʀ/

4시 30분입니다.

S   **Klockan är halv fem.**

/ ²klɔk:an ɛr halv feːm /

D   **Klokken er halv fem.**

/ ˈkʰlʌɡ̊ən ʌ ˈhælʊ ˈfeːm /

N   **Klokka er halv fem.**

/ˈklɔkə ər ˈhalv fiːm/

4시 45분입니다.

S   **Klockan är kvart i fem.**

/ ²klɔkːan ɛr kvɑrt iː feːm /

D   **Klokken er kvart i fem.**

/ ˈkʰlʌĝən ʌ ˈkʰvɑʊ̯d ˈiː ˈfeːm /

N   **Klokka er kvart på fem.**

/ˈklɔkə ər kvɑʁt poː fiːm/

4시 50분입니다.

S   **Klockan är tio i fem.**

/ ²klɔkːan ɛr ²tiːuː iː feːm /

D   **Klokken er ti i fem.**

/ ˈkʰlʌĝən ʌ ˈtiː ˈiː ˈfeːm /

N   **Klokka er ti på fem.**

/ˈklɔkə ər tiː poː fiːm/

기수

	스웨덴어	덴마크어	노르웨이어
1	en/ett	en/et	en/ett
2	två	to	to
3	tre	tre	tre
4	fyra	fire	fire
5	fem	fem	fem
6	sex	seks	seks
7	sju	syv	sju/syv
8	åtta	otte	åtte
9	nio	ni	ni
10	tio	ti	ti
11	elva	elleve	elleve
12	tolv	tolv	tolv
13	tretton	tretten	tretten
14	fjorton	fjorten	fjorten
15	femton	femten	femten
16	sexton	seksten	seksten
17	sjutton	sytten	sytten
18	arton	atten	atten
19	nitton	nitten	nitten
20	tjugo	tyve	tjue/tyve
21	tjugoen/ett	enogtyve	tjueen
22	tjugotvå	toogtyve	tjueto
...	...	...	...
10	tio	ti	ti

	스웨덴어	덴마크어	노르웨이어
20	tjugo	tyve	tjue
30	trettio	tredive	tretti
40	fyrtio	fyrre	førti
50	femtio	halvtreds	femti
60	sextio	tres	seksti
70	sjuttio	halvfjerds	sytti
80	åttio	firs	åtti
90	nittio	halvfems	nitti
100	hundra	hundrede	hundre
1000	tusen	tusind	tusen

서수

	스웨덴어	덴마크어	노르웨이어
1	första	første	første
2	andra	anden	annen/annet /andre
3	tredje	tredje	tredje
4	fjärde	fjerde	fjerde
5	femte	femte	femte
6	sjätte	sjette	sjette
7	sjunde	syvende	sjuende /syvende
8	åttonde	ottende	åttende
9	nionde	niende	niende

53

10	tionde	tiende	tiende
11	elfte	ellvte	ellevte
12	tolfte	tolvte	tolvte
13	trettonde	trettende	trettende
14	fjortonde	fjortende	fjortende
15	femtonde	femtende	femtende
16	sextonde	sekstende	sekstende
17	sjuttonde	syttende	syttende
18	artonde	attende	attende
19	nittonde	nittende	nittende
20	tjugonde	tyvende	tyvende /tjuende
21	tjugoförsta	enogtyvende	enogtyvende /tjueførste
...	...	...	...
10	tionde	tiende	tiende
20	tjugonde	tyvende	tyvende /tjuende
30	trettionde	tredivte	trettiende /tredevte
40	fyrtionde	fyrretyvende	førtiende
50	femtionde	halvtredsindstyvende	femtiende
60	sextionde	tresindstyvende	sekstinde
70	sjuttionde	halvfjerdsindstyvende	syttiende
80	åttionde	firsindstyvende	åttiende
90	nittionde	halvfemsindstyvende	nittiende
100	hundrade	hundrede	hundrede
1000	tusende	tusinde	tusende

54

월	스웨덴어	덴마크어	노르웨이어
1 월	januari	januar	januar
2 월	februari	februar	februar
3 월	mars	marts	mars
4 월	april	april	april
5 월	maj	maj	mai
6 월	juni	juni	juni
7 월	juli	juli	juli
8 월	augusti	august	august
9 월	september	september	september
10 월	oktober	oktober	oktober
11 월	november	november	november
12 월	december	december	desember

요일	스웨덴어	덴마크어	노르웨이어
월요일	måndag	mandag	mandag
화요일	tisdag	tirsdag	tirsdag
수요일	onsdag	onsdag	onsdag
목요일	torsdag	torsdag	torsdag
금요일	fredag	fredag	fredag
토요일	lördag	lørdag	lørdag
일요일	söndag	søndag	søndag

날짜, 시간 관련

	스웨덴어	덴마크어	노르웨이어
그저께	I förrgår	I forgårs	I forgårs
어제	Igår	I går	I går
오늘	Idag	I dag	I dag
내일	Imorgon	I morgen	I morgen
모레	I övermorgon	I overmorgen	I overmorgen
평일	veckodag	ugedag	ukedag
주말	helgen	weekend	helg
날	dag	dag	dag
주	vecka	uge	uke
달	månad	måned	måned
년	år	år	år
초	sekund	sekund	sekund
분	minut	minut	minutt
시간	tid	tid	tid

08

출 신

어디 출신이세요?

S **Var kommer du ifrån?**

/ vaːr ²kɔmːər dʉ ²ɪːˌfrɔn /

D **Hvor er du fra?** / ˈhʋɒɡ̊ ˈe ˈd̥uː ˈfʁɑɡ̊ /

N **Hvor er du fra?** /vɔ ər du frɑ/

어디서 오셨습니까?

S **Varifrån kommer du?**

/ ²vɑrɪˌfrɔn ²kɔmːər dʉ /

D **Hvor kommer du fra?**

/ ˈhʋɒɡ̊ ˈkʰɔmɐ ˈd̥uː ˈfʁɑɡ̊ /

N **Hvor kommer du fra?**

57

/vɔ ˈkɔmər du frɑ/

한국에서 왔습니다.

S   **Jag kommer från Korea.**

      / jaːɡ ²kɔmːər frɔn ²kʊːˌrɛːa /

D   **Jeg kommer fra Korea.**

      / jai̯ ˈkʰɒmɐ ˈfʁɑ ˈkʰoʊ̯ʁɐ /

N   **Jeg kommer fra Korea.**

      /jɛɡ ˈkɔmər frɑ ˈkuːɾɛɑ /

어떻게 여기에 오게 되셨나요?

S   **Vad tar dig hit?**

      / vaːd ²taːr dɪ ²hɪt /

D   **Hvad bringer dig hit?**

      / ˈʋad ˈbʁɛŋə ˈdai̯ ˈhiːd /

N   **Hva bringer deg hit?**

/va ˈbʁɪŋəɾ deɪ hɪt/

저 여기서 공부 / 일 해요.

S   **Jag studerar / jobbar här.**

/ jɑːg ²stʉːdərɑːr / ²jɔbːar hɛːr /

D   **Jeg studerer / arbejder her.**

/ jai̯ ˈstuːðɐ̯ə ˈɑʁpə ˈhiːɐ̯ /

N   **Jeg studerer / jobber her.**

/jɛg ˈstʉːdəɾəɾ / ˈjɔbər hæɾ/

저는 한국 사람입니다.

S   **Jag är korean.** / jɑːg ɛr ²kʊː ˌɾɛːan /

D   **Jeg er koreansk.** / jai̯ ˈeɐ̯ ˈkʰoʊ̯ʁjænsg̊/

N   **Jeg er koreansk.** /jɛg əɾ kuːˈɾeansk/

제 출신지는 ~입니다.

S　　**Jag är ursprungligen från...**

/ jaːg ɛr ²ʉːʂprʊŋ‚lɪjɛn frɔn /

ˋD　　**Jeg er oprindeligt fra...**

/ jai̯ ˈeɐ̯ ˌʌpʁinðəlɪkt ˈfʁɑ /

N　　**Jeg er opprinnelig fra...**

/jɛg ər ʊpˈrɪnəlɪ frɑ /

어느 도시에서 사세요?

S　　**Vilken stad bor du i?**

/ ²vɪlkən staːd buːr dʉ iː /

D　　**Hvilken by bor du i?**

/ ˈhʋilkən ˈby ˈbɒʊ̯ʁ ˈdu̥ː i /

N　　**Hvilken by bor du i?**

/ˈhvɪlkən byː buːr du i/

~에서 살아요.

S   **Jag bor i ...** / jaːg buːr iː /

D   **Jeg bor i ...** / jɑi̯ ˈbɒɒ̯ʁ i /

N   **Jeg bor i ...** /jɛg buːɾ i /

국명

	스웨덴어	덴마크어	노르웨이어
스웨덴	Sverige	Sverige	Sverige
핀란드	Finland	Finland	Finland
덴마크	Danmark	Danmark	Danmark
노르웨이	Norge	Norge	Norge
미국	Amerika	Amerika	Amerika
영국	England	England	England
독일	Tyskland	Tyskland	Tyskland
프랑스	Frankrike	Frankrig	Frankrike
스페인	Spanien	Spanien	Spania
이탈리아	Italien	Italien	Italia
한국	Korea	Korea	Korea
일본	Japan	Japan	Japan
중국	Kina	Kina	Kina
네덜란드	Holland	Holland	Holland

09 언 어

~어를 하시나요?

S   **Talar du ...** / ²taːlar dʉ /

D   **Taler du ...** /ˈtɑːlə ˈduː /

N   **Snakker du ...** /ˈsnɑkəɾ du/

~어를 조금 합니다.

S   **Jag talar lite...** / jaːg ²taːlar ²liːtə /

D   **Jeg taler lidt ...** /jai̯ ˈtɑːlɐ ˈlið ˈ/

N   **Jeg snakker litt ...** /jɛg ˈsnɑkəɾ lɪt/

~어를 못합니다.

S   **Jag talar inte....** / jaːg ²taːlar ²ɪnːtə /

D   **Jeg taler ikke ....** /jai̯ ˈtaːlɐ ˈni ˈ/

N   **Jeg snakker ikke ....** /jɛg ˈsnɑkəɾ ɪkt/

~를 하시는 분 계시나요?

S   **Finns det någon som talar ...**

        / fɪns dɛt ²noːgɔn sɔm ²taːlar /

D   **Er der nogen, der taler ...**

        /ˈæɐ̯ dæɐ̯ ˈnoɐ̯n dɛɐ̯ ˈtaːlɐ/

N   **Er det noen som snakker ...**

        /ər dɛt ˈnʊn sɔm ˈsnɑkəɾ/

~은 영어로 뭐에요?

S   **Vad heter .... på engelska?**

/ vaːd ²heːtər   poː ²ɛŋːɛlska /

D   **Hvad hedder ... på engelsk?**

/ˈʋad ˈheðɐ   po ˈɛŋ̩sĝ /

N   **Hva heter ... på engelsk?**

/va ˈheːtər   poː ˈɛŋəlsk/

그것은 스웨덴어로 어떻게 말해요?

S   **Hur säger man det på svenska?**

/ huːr ²sɛːgər man dɛt poː ²svɛnska /

그것은 덴마크어로 어떻게 말해요?

D   **Hvordan siger man det på dansk?**

/ˈʋadan ˈsiːə ˈman ˈde ˈpo ˈdænsĝ/

그것은 노르웨이어로 어떻게 말해요?

N   **Hvordan sier du det på norsk?**

/ˈhvordan siːɾ du dɛt poː ˈnɔʂk/

65

이것은 어떻게 발음해요?

S   **Hur uttalar man det?**

/ hʉːr ²ɵtːalar man dɛt /

D   **Hvordan udtaler man det?**

/'ʋadɑn 'udˌdælɐ man 'de /

N   **Hvordan uttaler man det?**

/hvɔːrdɑn ²ʉtːɑːlɛr man 'dɛt/

이것은 무슨 뜻이죠?

S   **Vad betyder det?** / vaːd bəˈtyːdər dɛt /

D   **Hvad betyder det?** /'ʋad 'beːtyðɐ de '/

N   **Hva betyr det?** /va 'bɛtyr dɛt/

제 말을 이해하셨나요?

S   **Förstår du mig?** / ²fœʂtɔr dʉ meː /

66

D   **Forstår du mig?** /ˈfɔʁˌsdoɢ ˈdu ˈmaɪ̯/

N   **Forstår du meg?** /ˈfɔʂtoːr du meɪ/

이해하지 못했어요.

S   **Jag förstår inte.** / jaːg ²fœʂtɔr ²ɪnːtə /

D   **Jeg forstår ikke.** /jai̯ ˈfɒsdɒ ˈiðə/

N   **Jeg forstår ikke.** /jɛg fɔʂtoːr ˈɪktə/

이해는 합니다.

S   **Jag förstår det.** / jaːg ²fœʂtɔr dɛt /

D   **Jeg forstår det.** /jai̯ ˈfɒːˀsdɒː ˈd̥ai̯/

N   **Jeg forstår det.** /jɛg fɔʂtoːr dɛt/

천천히 말해 줄 수 있나요?

S   **Kan du prata lite långsammare?**

/ kan dʉ ²praːta ²liːtə ²lɔŋ: ˌsama /

D   **Kan du tale lidt langsommere?**

/kʰan ˈdu ˈtaːlə ˈlið ˈlaŋˌsoʔməʁə/

N   **Kan du snakke litt langsommere?**

/kɑn du ˈsnɑkə lɪt ˈlaŋsɔmərə/

다시 말해 주실 수 있으세요?

S   **Kan du säga det igen?**

/ kan dʉ ²sɛːga dɛt ²ɪjɛn /

D   **Kan du sige det igen?**

/kʰan ˈdu ˈsiːjə de ˈteː ˈiːjən/

N   **Kan du si det igjen?**

/kɑn du si dɛt ɪˈjeɪən/

써주실 수 있으세요?

S   **Kan du skriva ner det?**

     / kan dʉ ²skriːva nɛr dɛt /

D   **Kan du skrive det ned?**

     /kʰɑn ˈdu ˈskʰʁiːʊə de ˈteː ˈneð/

N   **Kan du skrive det ned?**

     /kɑn du ˈskɾiːʋə dɛt nɛd/

철자를 알려주실 수 있으세요?

S   **Kan du stava det?**

     / kan dʉ ²staːva dɛt /

D   **Kan du stave det?**

     /kʰɑn ˈdu ˈstɑːʊə de ˈteː/

N   **Kan du stave det?**

     /kɑn du ˈstɑːʋə dɛt /

언어

	스웨덴어	덴마크어	노르웨이어
스웨덴어	svenska	svensk	svensk
핀란드어	finska	finsk	finsk
덴마크어	danska	dansk	dansk
노르웨이어	norska	norsk	norsk
영어	engelska	engelsk	engelsk
독일어	tyska	tysk	tysk
프랑스어	franska	fransk	fransk
스페인어	spanska	spansk	spansk
이탈리아어	italienska	italiensk	italiensk
한국어	koreanska	koreansk	koreansk
일본어	japanska	japansk	japansk
중국어	kinesiska	kinesisk	kinesisk
네덜란드어	holländska	hollandsk	nederlandsk

10

의 견

뭐라고 생각하세요?

S **Vad tycker du?** / vaːd ²tʏkər dʉ /

D **Hvad synes du?** /ˈʋad ˈsyːnəs duː/

N **Hva synes du?** /va ˈsyːnəs du/

무슨 일이죠?

S **Vad händer?** / vaːd ²hɛnːdər /

D **Hvad foregår der?**

/ˈʋad ˈfɒːɐ̯ˌɡɔːʊ̯ ˈdeːɐ̯/

N **Hva foregår?** /va ˈfɔːrəɡɔːɾ/

~라고 생각합니다.

S   **Jag tycker att…** / jaːg ²tʏkər at /

D   **Jeg tror, at …** /jai̯ ˈtʁɔːɡ̊ ˈad /

N   **Jeg tror at…** /jɛg truːɾ ɑt/

뭐가 좋으세요?

S   **Vad föredrar du?** / vaːd fœrˈdɛr du /

D   **Hvad foretrækker du?**

        /ˈʋad ˈfɒːɡ̊ˌtʁɛɡ̊ɐ duː/

N   **Hva foretrekker du?** /va fɔːɾˈtrɛkəɾ du/

그거 마음에 들어요.

S   **Jag gillar det.** / jaːg ²jɪlar dɛt /

D   **Jeg kan lide det.** /jai̯ kʰan ˈliðə d̥ɛd/

N   **Jeg liker det.** /jɛg ˈliːkər deɪ/

그거 마음에 안 들어요.

S   **Jag gillar det inte.** / jɑːg ²jɪlar dɛt ²ɪnːtə/

D   **Jeg kan ikke lide det.**

        /jaɪ̯ kʰɑn ˈki ˈliðə dɛd/

N   **Jeg liker det ikke.** /jɛg ˈliːkər deɪ ˈɪktə/

~(하기)를 좋아/싫어합니다.

S   **Jag gillar / hatar att…**

        / jɑːg ²jɪlar ɔm / ²hatɑr at /

D   **Jeg kan lide / hader at …**

        /jaɪ̯ kʰan ˈliðə / ˈhaðɐ at /

N   **Jeg liker / hater å…**

        /jɛg ˈliːkər / ˈhɑːtər o/ …

기쁩니다.

S   **Jag är glad.** / jaːɡ ɛr ɡlad /

D   **Jeg er glad.** /jai̯ ˈeɐ̯ ˈɡ̊lað/

N   **Jeg er glad.** /jɛɡ ər ɡlɑːd/

기쁘지 않습니다.

S   **Jag är inte glad.** / jaːɡ ɛr ɪntə ɡlad /

D   **Jeg er ikke glad.** /jai̯ ˈeɐ̯ ˈki ˈɡ̊lað/

N   **Jeg er ikke glad.** /jɛɡ ər ɪkt ɡlɑːd/

기분이 좋지 않습니다.

S   **Jag är inte på bra humör.**

        / jag ɛr ˈɪntə poː bra ˈhʉːˌmœr/

D   **Jeg er ikke i godt humør.**

/jai ɛɡ̊ ˈpiːlə i ˈkɒd ˈhuːmɒɡ̊/

N   **Jeg er ikke i godt humør.**

/jɛɪ ɛr ˈɪntə i gʊt ˈhʉːmøːr/

~에 흥미가 있습니다.

S   **Jag är intresserad av ...**

/ jaːg ɛr ɪntərɛˈsɛːrad av/

D   **Jeg er interesseret i ...**

/ jɛɪ æʁ ˈintəˌseʁəʁɛ i /

N   **Jeg er interessert i ...**

/jɛg ər ɪntəˈrɛsɛʈ i/

흥미 없습니다.

S   **Jag är inte intresserad.**

/ jaːg ɛr ɪnːtərɛˈsɛːrad /

75

D   **Jeg er ikke interesseret.**

/jaɪ̯ˌeɐ̯ ˈki ˌintəʁˈɛsɐ̯ɐʁ/

N   **Jeg er ikke interessert.**

/jɛg ər ɪkt ɪntərɛsˈseːʈ/

지루합니다.

S   **Jag är uttråkad.** / jaːg ɛr ²ʉːtːroːkad /

D   **Jeg keder mig.** /jaɪ̯ ˈkeːð̞ɐ maɪ̯/

N   **Jeg kjeder meg.** /jɛg ˈçeːdər meɪ̯/

상관 없어요.

S   **Det spelar ingen roll.**

/ dɛt ²speːlar ²ɪɲːɛn rɔl /

D   **Det gør ikke noget.**

/d̥ɛd ˈɡ̊œɐ̯ ˌni ˈnoːʊ̯ət/

76

N   **Det gjør ikke noe.** /dɛt ɡjøːɾ ɪkt noɪ/

정말요?

S   **Verkligen?** / vɛrkˈliːɡən /

D   **Virkelig?** /ˈʋiɡ̊əli/

N   **Virkelig?** /vɪɾˈkɛlɪʲ/

이제 충분합니다. (질립니다.)

S   **Jag har fått nog.** / jaːɡ har fɔt noɡ /

D   **Jeg har fået nok.** /jai̯ ˈhɑː ˈfɔːɐ̯ ˌnoɡ̊/

N   **Jeg har fått nok.** /jɛɡ hɑɾ fåt nuːk/

멋져요!

S   **Underbart!** /²əndərbart /

D   **Skønt!** /ˈsgønˀd/

N   **Flott!** / flɔt/

사랑스러워요!

S   **Härligt!** /ˈhæːʟ̩t/

D   **Herligt!** / ˈhæɐ̯liːˀt/

N   **Herlig!** /ˈhæʟ̩ⁱ/

잘 했어요!

S   **Bra jobbat!** /bra ˈjɞbːat/

D   **Godt klare!** /gɔd klaʁet/

N   **Bra jobbet!** /brɑ ˈjɔbːə/

환상적이네요!

S   **Fantastiskt!** / fanˈtastɪskt/

D   **Fantastiskt!** / fænˈtastisk/

N   **Fantastisk!** /fɑnˈtɑstɪsk/

불쌍해라! 안타깝네요.

S   **Vad synd!** / vaːd synd /

D   **Hvor synd!** / ˈvoɐ̯ ˈsynˀ/

N   **Hva synd!** / ʋɑ sʏn/

11

전 화

~이신가요?

S **Talar jag med...?** / ²taːlar jag med /

D **Taler jeg med ...?** /ˈtalɐ jai̯ mɛð /

N **Snakker jeg med...?**
/snɑkər jɛi̯ mɛ ˈmeː/

안녕하세요, ~입니다.

S **Hej, det är...** / hej, dɛt ɛr /

D **Hej, det er ...** /haj d̥ɛd̥ ɛʁ /

N **Hei, Det er ...** / hæi dɛt əɾ/

~와 통화할 수 있나요?

S   **Kan jag prata med. …**

/ kan jag ˈprɑːta mɛd /

D   **Kan jeg tale med ...**

/kan jai̯ ˈtɑːlə mɛð /

N   **Kan jeg snakke med ...**

/kan jeɪ ˈsnɑkə meɪ /

~랑 통화하고 싶습니다.

S   **Jag skulle vilja prata med...**

/ jaːg ²ɧəlːɛ ²vɪlːja ²prɑːta mɛd /

D   **Jeg vil gerne tale med...**

/jai̯ ˈʋil ˈĝænə ˈtɑːlə mɛð /

N   **Jeg vil gjerne snakke med...**

/ jæɪ̯ ˈʋɪl ˈjɛɲə ˈsnɑkːə mɛ/

누구시죠?

S **Vem ringer?** / vɛm ˈrɪŋər? /

D **Hvem ringer?** /ʋɛm ˈʁɪŋəʁ/

N **Hvem ringer?** /vɛm ˈɾɪŋəɾ

당신 전화 입니다.

S **Du har ett samtal.** / dɵ ²har ɛt ²samːtal/

D **Du har et opkald.**

/du ˈhɑːɐ̯ ˈeːd ˌɒpˈkʰalʔ/

N **Du har en samtale.**

/du ˈhaɾ ən samˈtɑːlə/

잘못된 번호로 거셨습니다.

S **Du har fel nummer.**

/ dʉ ²har feːl ²nɵmːər /

D   **Du har det forkerte nummer.**

/du ˈhɑːɐ̯ dɛd ˈfɒʁkətə ˈnʌməʁ/

N   **Du har feil nummer.**

/du haɾ fæɪl ˈnʊməɾ/

통화중입니다.

S   **Linjen är upptagen.**

/ ²lɪnjən ɛr ²ɵptːagən /

D   **Linjen er optaget.**

/ˈlinjən ɛʁ ˌɒpˈtɑːjət/

N   **Linjen er opptatt.** /ˈlɪnjən əɾ ˈɔptat/

그는 지금 자리에 없습니다.

S   **Han är inte tillgänglig just nu.**

/han ɛr ɪntɛ tɪlˈjaŋːlɪ juːst nʊ/

D   **Han er ikke tilgængelig lige nu.**

/han ɛɐ̯ ˈekə ˈtʰil ˌjɛŋəlɪ ˈliːə ˈnu/

N   **Han er ikke tilgjengelig akkurat nå.**

/han ɛr ɪkə ˈtɪljənəlɪ ɑkʉˈrɑːt noː/

제가 전화했다고 전해주시겠습니까?

S   **Kan du säga till dem att jag ringde?**

/ kan du ˈsɛːga tɪl dɛm at jag ˈrɪŋːdə/

D   **Kan du sige til dem, at jeg ringede?**

/ kan du ˈsiːə tɪl dɛm at je ˈʁɛŋədə/

N   **Kan du si til dem at jeg ringte?**

/ kan du si tɪl dɛm at je ˈrɪŋtə/

그/그녀에게 다시 전화해 달라고 말씀해

주시겠습니까?

S   **Kan du be honom/henne ringa mig tillbaka?**

/ kan dʉ be: ²huːnɔm ²hɛnːə ²rɪŋa maɪ ˈtɪlbaka/

D   **Kan du bede ham / hende ringe mig tilbage?**

/kan du ˈbeːðə ham /ˈhɛnə ˈʁɛŋə maɪ̯ ˈtˢiːlbakə/

N   **Kan du be ham /henne ringe meg tilbake?**

/kan du be ˈham / ˈhɛnə ˈrɪŋə meɪ ˈtɪlbakə/

나중에 다시 전화하겠습니다.

S   **Jag ringer igen senare.**

/ jaːg ²rɪŋər iːjɛn sɛːnarə /

D   **Jeg ringer igen senere.**

/jaɪ̯ ˈʁɪŋə ˈiʔən ˌsɛnəʁə/

85

N   **Jeg ringer igjen senere.**

/jɛg ˈrɪŋər ɪˈjeɪən səˈnæːɾə/

메시지를 남길 수 있나요?

S   **Kan jag lämna ett meddelande?**

/ kan jag ²lɛmːna ɛt ²meːdleːandə /

D   **Kan jeg efterlade en besked?**

/kan jai̯ ˈʔɛftɐˌlɑːðə ɛn ˈbeːsɡ̊əd/

N   **Kan jeg legge igjen en beskjed?**

/kɑn jeɪ ˈlɛgə ˈiːjən ən ˈbɛʂəd/

메시지를 남겨드릴까요?

S   **Vill du lämna ett meddelande?**

/vɪl dʉ ˈlɛmːna ɛt mɛˈdeːlandɛ/

D   **Vil du efterlade en besked?**

/vil dʉ ˈeːftɐlæːðə ən ˈbɛːsg̊əð/

N   **Vil du legge igjen en beskjed?**

/vil dʉ ˈlɛgə ˈiːjən ən ˈbɛsjɛd/

전화번호가 어떻게 되세요?

S   **Vad är ditt telefonnummer?**

/ vaːd ɛr dɪt ²tɛlɛ̩fɔnːnømːər /

D   **Hvad er dit telefonnummer?**

/ʋad ɛʁ diˀ ˈteːləfɒn̩nʌməʁ/

N   **Hva er telefonnummeret ditt?**

/vɑ ər ˈtɛləfʊn̩nʊmərət dɪt/

제 전화번호는~입니다.

S   **Mitt telefonnummer är …**

/ mɪt tɛlɛ̩fɔnːnømːər ɛr /

D   **Mit telefonnummer er ...**

/miːt ˈteːləfɒn ˌnʌməʁ ɛʁ/

N   **Mitt nummer er ...** /mɪt ˈnʊməɾ əɾ /

한 번 더 말해 주실 수 있으세요?

S   **Kan du upprepa det?**

/ kan dʉ ²θ ˌprɛːpa dɛt /

D   **Kan du gentage det?**

/kan du ˌg̊ɛnˈtaːpə d̥ɛd/

N   **Kan du gjenta det?** /kɑn du ˈjɛntɑ dɛt/

전자 기기 관련 단어

	스웨덴어	덴마크어	노르웨이어
컴퓨터	dator	computer	datamaskin
랩탑	bärbar dator	bærbar computer	bærbar datamaskin
인터넷	internet	internettet	internett
이메일	e-post	e-mail	e-post
메일 주소	e-postadress	e-mailadresse	e-post adresse
웹 사이트	webbplats	hjemmeside	nettsted
프린터	skrivare	printer	printer
카메라	kamera	kamera	kamera
메모리카드	minneskort	hukommelses kort	minnekort
배터리	batteri	batteri	batteri
전기	elektricitet	elektricitet	elektrisitet
전화	telefon	telefon	telefon
핸드폰 / 스마트폰	mobiltelefon / smarttelefon	mobiltelefon / smarttelefon	mobiltelefon / smarttelefon
심카드	simkort	SIM-kort	SIM-kort
문자 메시지	text meddelande	tekstbesked	tekstmelding
콘센트	uttag	stikkontakt	stikkontakt
충전기	laddare	oplader	lader

라디오	radio	radio	radio
헤드폰	hörlurar	hovedtelefoner	hodetelefoner

12

우편, 환전

현금인출기는 어디에 있나요?

S   **Var ligger uttagsautomat?**

/var ˈlɪgər ˈʉːtaksɑʊtəˌmɑːt/

D   **Hvor er pengeautomaterne?**

/ˈhvo ˈæg̊ ˈpʰɛŋəʊˌtɔmɑːtɐnə/

N   **Hvor er minibankene?**

/ˈhvuːr ɛr ˈmiːnɪˌbaŋkənə/

가까운 환전소가 어디에 있나요?

S   **Var ligger närmaste**

växlingskontor?

91

/var ˈlɪɡər ˈnæːrmastə ˈvɛkːslɪŋskɔnˌtuːr/

D   **Hvor er det nærmeste**

        pengeudvekslingskontor?

/voɐ̯ ɛɐ̯ d̥ɛd ˈnæɡməstə pʰɛŋəu̯d̥ˈvɛkslɪŋskɔntɒ/

N   **Hvor er det nærmeste**

        vekslekontoret?

/ˈvoːr ɛr dɛt ˈnærmɛstə ˈvɛkːsləˌkʊnˌtʊrət/

돈을 환전하고 싶습니다.

S   **Jag skulle vilja växla lite pengar.**

/jɑːɡ ˈʃəlːə ˈvɪlːja ²vɛksla ˈliːtə ²pɛŋˌar/

D   **Jeg vil gerne veksle penge.**

/jai̯ vil ˈɡ̊ænə ˈʋɛɡ̊slə ˈpʰænə/

N   **Jeg vil gjerne veksle litt penger.**

/jɛɡ ʋil ˈjæʁnə ˈʋɛkslə lɪt ˈpɛŋəɾ/

현재 환율이 어떻게 됩니까?

S **Vad är den aktuella växelkursen?**

/vad ɛr dɛn akˈtuːɛla ˈvɛkːsɛlˌkʊrːsən/

D **Hvad er den aktuelle vekselkurs?**

/ˈʋæd ɛɐ̯ dɛn ˈɑɡdʊˌɛlə ˈʋɛkslˌkʰoɐ̯s/

N **Hva er gjeldende vekslingskurs?**

/ʋɑ ɛr ˈjɛləndə ˈvɛkːslɪŋskʊʁs/

달러와 스웨덴 크로나의 환율이 어떻게

됩니까?

S **Vad är växelkursen mellan Dollar**
   och svensk krona?

/vad ɛr ²vɛkːsɛlˌkʊʂɛn mɛˈlan ²dɔlːar ɔk ²svɛnsk
²kruːˌna/

달러와 덴마크 크로네의 환율이 어떻게

93

됩니까?

D **Hvad er vekselkursen mellem dollar og danske kroner?**

/ʋad ɛɐ̯ ˈʋɛksəlkɒʁsən ˈmel.ən d̥ɒlɐ ɔg d̥ænskə \ ˈkʰʁoˀnɐ/

달러와 노르웨이 크로네의 환율이 어떻

게 됩니까?

N **Hva er valutakursen mellom dollar og norske kroner?**

/va ˈæɾ ˈʋɑːlʉˌtakʉʂən ˈmɛlʉm ˈdɔlaʁ ɔg ˈnɔʂkə ˈkɾuːnəɾ/

수수료가 얼마죠?

S **Hur mycket är provisionsavgiften?**

/ hʊr ˈmʏkːt ɛr prʊvɪˈsjɔnsav̥ˌjiːftən/

D **Hvor meget er kommissionsgebyret?**

/ voɡ̊ ˈmɛʁəð ɛɡ̊ kʰɒˈmiːsjɔnsˌɡəˌbyːʁət/

N **Hvor mye koster provisjonsavgiften?**

/ ˈvoːr ˈmyə ˈkʊstər prʊˈʋɪʂʊnsˌɑʋⁱˌɡɪftən/

어디다 싸인 해야 하죠?

S **Var ska jag skriva under?**

/var ska jag ²skriːva ²ənːdər/

D **Hvor skal jeg skrive under?**

/ˈhvo ˈsg̊ɒl jai̯ ˈskʁiːʊə ˈʌnɐ/

N **Hvor skal jeg skrive under?**

/ˈvoːr skɑl jɛɪ̯ ˈʃkriːʊə ˈʊndər/

이 문서를 작성해 주시겠어요?

S **Kan du fylla i detta, snälla?**

/ kan dʉ ²fʏl:a ɪ ²dɛt:a ²fɲɛla/

D **Kan du venligst udfylde dette?**

/ kan du ˈʋɛnˌlɪst ˈudfyːldə ˈdɛsə/

N **Kan du fylle ut dette, vær så snill?**

/kɑn dʉ ˈfʏlə ʉt ˈdɛsə ˈʋæʂɔʂnɪl/

이 소포를 항공 우편으로 보내고 싶습니

다.

S **Jag vill skicka detta paket med**
flygpost.

/jɑːg ²vɪl: ²ʂɪŋːka ²dɛt:a ²pɑːˌkɛt mɛd ²flyːgˌpuːst/

D **Jeg vil sende denne pakke som**
luftpost.

/jai̯ vil ˈsɛnə ˈdɛnə ˈpʰɑɡ̊ə sɒm ˈlufpoʊ̯st/

N **Jeg vil sende dette pakket med**
luftpost.

/ jɛɪ̯ ʋɪl ˈsɛnə ˈdɛsə ²pakːət mɛ ²lʊftpʊst/

이것을 한국으로 보내고 싶습니다.

S **Jag skulle vilja skicka detta till Korea.**

/jag ˈʃølːə ˈvɪlːja ²fɧɪŋːka ²dɛtːa tɪl kʊˈrɛːa /

D **Jeg vil gerne sende dette til Korea.**

/jɛɪ̯ vɪl ˈɡæːnə ˈsɛnə ˈdɛsə tʰil ˈkuːʁɑ ˈkʰoʔɹə /

N **Jeg vil gjerne sende dette til Korea.**

/jɛɪ̯ ʊɪl ˈjæŋə ˈsɛnə ˈdɛsə tɪl kuːˈɾea /

한국으로 소포 보내는데 얼마죠?

S **Hur mycket kostar det att skicka ett paket till Korea?**

/hʊr ²mʏkt ²kɔsːtar dɛt at ²ʂɪŋːka ɛt ²pɑːˌkɛt tɪl ²kuːˌrɛːa /

D **Hvor meget koster det at sende en pakke til Korea?**

/ˈhvo ˈmæjəd ˈkʰɒsdʌ d̥ɛd at ˈsɛnə ne ˈpʰagə tʰil

97

ˈkʰoˀɹə/

N   **Hvor mye koster det å sende en pakke til Korea?**

/ˈhvuːr ˈmyːə ˈkɔstər dɛt oː ˈsɛnə ən ˈpɑkə tɪl ˈkʰoʊʁɐ/

우표 6개 받을 수 있을까요?

S   **Kan jag få sex frimärken?**

/kan jag foː sɛks ²friːmɛrˌkɛn/

D   **Kan jeg få seks frimærker?**

/kan jai̯ ˈfɒ ˈsæks ˈfʁimɛ̝ɐ̯kɐ/

N   **Kan jeg få 6 frimerker?**

/ kɑn jɛɪ̯ foː ˈsɪks ˈfriːˌmɛrkər /

우표가 여기 충분한가요?

S   **Finns det tillräckligt med frimärken här?**

/ fıns dɛt tıl'rɛk:lıkt mɛd ²fri:ˌmærkən hæ:r/

D   **Er der nok frimærker tilgængelige her?**

/ ɛɐ̯ dɛz̥ nok 'fʁi:mæɐ̯gə 'ti:lˌĝɛŋələ 'hæɐ̯ /

N   **Er det nok frimerker tilgjengelige her?**

/æɾ dɛt nɔk 'frımərkər ²tılˌjɛŋəlıə hæɾ/

금융 관련 단어

	스웨덴어	덴마크어	노르웨이어
은행	bank	bank	bank
ATM	bankomat	pengeautomat	minibank
계좌	konto	konto	konto
비밀 번호	lösenord	adgangskode	passord
달러	dollar	dollars	dollar
유로	euro	euro	euro
돈	pengar	penge	penger
현금	kontanter	kontanter	kontanter
동전	mynt	mønt	mynt
여행자 수표	resecheckar	rejsechecks	reisesjekker
예금	insättning	indbetaling	innskudd
이자	ränta	rente	rente
신용카드	kontokort	kreditkort	kredittkort
환율	valutakurs	valutakurs	valutakurs
환전	valutaväxling	valutaveksling	valutaveksling

우편 관련 단어

	스웨덴어	덴마크어	노르웨이어
국내우편	inhemsk post	indenlandsk post	innenriks post
국제우편	internationell post	international post	internasjonal post
항공우편	flypost	luftpost	luftpost
수신인	mottagare	modtager	mottaker
발신인	avsändare	afsender	avsender
소포	paket	pakke	pakke
우체국	postkontor	posthus	postkontor
우편 번호	postnummer	postnummer	postnummer
우편 요금	porto	porto	porto
우편함	postlåda	postkasse	postkasse
우표	frimärke	frimærke	frimerke
주소	adress	adresse	adresse
엽서	vykort	postkort	postkort
추적(운송장) 번호	spårnings nummer	sporings nummer	sporings nummer

13

날 씨

오늘 날씨 어때요?

S **Hur är vädret idag?**

/hʊr ɛr ˈvɛːdrɛt iːˈdɑːɡ/

D **Hvordan er vejret i dag?**

/ˈvoɐ̯dan ɛɐ̯ ˈʋaɪ̯d̥ʁɛd̥ i ˈd̥æːʊ̯/

N **Hvordan er været i dag?**

/ˈhvoːrɑn ɛr ˈʋæːrət i dɑːɡ/

오늘 몇 도인 가요?

S **Vad är temperaturen idag?**

/vad ɛr ²tɛmpəraˌtʉːrən iːˈdɑːɡ/

D **Hvad er temperaturen i dag?**

/ʋad ɛɞ̥ ˈtʰɛmpʰəʀɑˌtuːʀən i ˈdæːʊ̥/

N   **Hvor mange grader er det i dag?**

/ˈhvuːɾ ˈmɑŋə ˈgrɑːdər əɾ dɛt i dɑːg/

아름다운 / 좋은 날씨입니다.

S   **Det är vackert / fint väder.**

/dɛt ɛr ²vakːɛrt / fint ˈvɛːdər/

D   **Det er smukt / fint vejr.**

/d̥ɛd ɛɞ̥ ˈsmʊkt / ˈfint ˈʋaɪʀ/

N   **Det er bra / fint vær.**

/dɛt ɛɾ brɑː / fint væɾ/

오늘 추워요.

S   **Det är kallt idag.** /dɛt ɛr ˈkalːt iː ˈdɑːg/

D   **Det er koldt i dag.**

/d̥ɛd ɛɞ̥ ˈkʰɒlt i ˈdæːʊ̥/

N   **Det er kaldt i dag.** /dɛt ɛɾ kaldt i dɑːg/

오늘 시원해요.

S   **Det är coolt idag.** /dɛt ɛr koːlt iːˈdɑːg/

D   **Det er sejt i dag.** /d̥ɛd ɛɐ̯ ˈsaɪ̯d̥ i ˈd̥æːʊ̯/

N   **Det er kult i dag.** /dɛt ɛɾ kʉlt i dɑːg/

오늘 따뜻해요.

S   **Det är varmt idag.**

       /dɛt ɛr ˈvɑrmt iːˈdɑːg/

D   **Det er varmt i dag.**

       /d̥ɛd ɛɐ̯ ˈʋaʁmt i ˈd̥æːʊ̯/

N   **Det er varmt i dag.**

       /dɛt ɛɾ vɑɾmt i dɑːg/

오늘 더워요.

S **Det är hett idag.** /dɛt ɛr ˈhɛtː iːˈdɑːg/

D **Det er hedt i dag.**

/d̥ɛd ɛɐ̯ ˈheːd̥ i ˈd̥æːʊ̯/

N **Det er varmt i dag.**

/dɛt ɛɾ vɑɾmt i dɑːg/

습합니다. / 건조합니다.

S **Det är fuktigt / torrt.**

/dɛt ɛr ^{2}fɵkːtɪgt tɔrt/

D **Det er fugtigt / tørt.**

/d̥ɛd ɛɐ̯ ˈfʊk͡tʰi tøɐ̯d̥/

N **Det er fuktig / tørr.**

/dɛt ɛɾ ˈfʊktɪ tœɾ/

날씨가 안 좋아 질까요?

S　　**Blir det dåligt väder?**

　　　/bliːr dɛt ˈdɔlːiːt ˈvɛːdər/

D　　**Bliver vejret dårligt?**

　　　/ˈbliːʊɐ ˈʋaɪdʁɛd̥ ˈdɒːɐ̯li/

N　　**Blir været dårlig?** /blɪr ˈʋæːrət ˈdɔːɾlɪʲ/

날씨가 죽 이럴까요?

S　　**Fortsätter det så här?**

　　　/fɔʈˈsɛtːər dɛt soː hɛr/

D　　**Forbliver vejret det samme?**

　　　/ˈfɒɐ̯ˌbliːʊɐ ˈʋaɪdʁɛd̥ d̥ɛd ˈsamə/

N　　**Fortsetter det slik?**

　　　/ˈfɔʈsɛtər dɛt ˈsɪlɪʲ/

비가 올까요?

S **Ska det regna?** /ska dɛt ²reːɲa/

D **Ser det ud til regn?**

/ˈsæɐ̯ d̥ɛd ˈuð ˈtiːl ˈʁɛŋ/

N **Kommer det til å regne?**

/ˈkɔmər dɛt tɪl oː ˈrɛŋə/

비가 오고 있습니다.

S **Det regnar.** /dɛt ²reːɲar/

D **Det regner.** /d̥ɛd ˈʁɑɪ̯nɐ/

N **Det regner.** /dɛt ˈrɛŋər/

눈이 내리고 있습니다.

S **Det snöar.** /dɛt ²snøːar/

D   **Det sner.** /dɛ̞d ˈsnɛ̞/

N   **Det snør.** /dɛt ˈsnøːɾ/

폭풍우가 몰아치고 있습니다.

S   **Det är oväder.** /dɛt ɛr oːˈvɛːdər/

D   **Det er stormende.** /dɛ̞d ɛ̞ ˈstɔ̞mənə/

N   **Det er stormfullt.** /dɛt ɛr ˈstɔɾmˌfɯl/

해가 납니다.

S   **Det är soligt.** /dɛt ɛr ²suːlɪgt/

D   **Det er solskin.** /dɛ̞d ɛ̞ ˈso̞lskin/

N   **Det er sol.** /dɛt ɛr suːl/

날씨가 흐립니다.

S   **Det är molnigt.** /dɛt ɛr ²muːlːnɪgt/

D   **Det er skyet.** /d̥ɛd ɛɐ̯ ˈskyˀəd̥/

N   **Det er overskyet.** /dɛt ɛɾ ˈʊʋəʂʉːkət/

안개가 꼈습니다.

S   **Det är dimmigt.** /dɛt ɛr ²dɪmːɪgt/

D   **Det er tåget.** /d̥ɛd ɛɐ̯ ˈtʰɔːɪd̥/

N   **Det er tåkete.** /dɛt ɛɾ ˈtoːkətə/

바람이 붑니다.

S   **Det är blåsigt.** /dɛt ɛr ²bloːsɪgt/

D   **Det er blæsende.** /d̥ɛd ɛɐ̯ ˈblɛːsənə/

N   **Det er vind.** /dɛt ɛɾ ˈʋɪnd/

얼음이 얼었습니다.

S   **Det är isigt.** /dɛt ɛr ²iːsɪgt/

D   **Det er islag.** /d̥ɛd ɛ̞ 'iːslɑːɠ̊/

N   **Det er glatt.** /dɛt ɛɾ 'glɑt/

날씨 관련 단어

	스웨덴어	덴마크어	노르웨이어
구름	moln	sky	sky
해	sol	sol	sol
기후	klimat	klima	klima
날씨	väder	vejr	vær
뇌우	åskväder	tordenvejr	tordenvær
눈	snö	sne	snø
눈보라	snöstorm	snestorm	snøstorm
무지개	regnbåge	regnbue	regnbue
바람	vind	vind	vind
비	regn	regn	regn
서리	frost	frost	frost
안개	dimma	tåge	tåke
기온	temperatur	temperatur	temperatur
온도	grad	grad	grad
습도	fuktighet	fugtighed	fuktighet
일기 예보	väderprognos	vejrudsigt	værmelding
진눈깨비	slud	slud	sludd
천둥	åska	torden	torden

번개	blixt	lyn	lyn
폭풍	storm	storm	storm
허리케인	orkan	orkan	orkan
홍수	översvämning	oversvømmelse	flom

계절	스웨덴어	덴마크어	노르웨이어
봄	vår	forår	vår
여름	sommar	sommer	sommer
가을	höst	efterår	høst
겨울	vinter	vinter	vinter

14

교 통

~가 어디에 있는지 아시나요?

S   **Vet du var … är?** /veːt du: var... ær/

D   **Ved du hvor ... er?**

/veð du ˈvɒð ... ˈæɐ̯/

N   **Vet du hvor … er?** /ʋɛt du ˈhvɔɾ … ɛɾ/

길을 잃었어요.

S   **Jag är vilse.** /jɑː ɛr ²vɪlsɛ/

D   **Jeg er tabt.** /jɛj ɛɐ̯ ˈtɑpd/

N   **Jeg har gått meg bort.**

/ jɛɪ̯ har ˈgɔt mɛɪ̯ bɔʈ/

113

가장 가까운 ~가 어디 있나요?

S   **Var ligger närmaste …. ?**

/var ²lɪgər ²nærmasta …/

D   **Hvor er den nærmeste … ?**

/voʁ ɛɐ̯ dɛn ˈnæɐ̯mɛstə …/

N   **Hvor er den nærmeste…. ?**

/ˈhvuːr ɛr dɛn ˈnæɾməstə/

어떻게 ~에 가나요?

S   **Hur kommer jag till … ?**

/hʊr ˈkɔmər jag tɪl …/

D   **Hvordan kommer jeg til … ?**

/ˈvoɾðan ˈkʰɔməʁ jai̯ til …/

N   **Hvordan kommer jeg til … ?**

/ˈhvuːrdan ˈkɔmər jeɪ tɪl …/

거기는 걸어서 어떻게 가죠?

S   **Hur kan jag komma dit till fots?**

/hʊr kan jag ²kɔma dɪt tɪl fʊts/

D   **Hvordan kan jeg komme derhen til fods?**

/ˈvoɾðan kʰæn jai̯ ˈkʰɔmə ðɛɡhɛn til ˈfɒs/

N   **Hvordan kan jeg komme dit til fots?**

/ˈhvuːɾdɑn kɑn jeɪ ˈkɔmə dɪt tɪl fʊts/

걸을 만한가요?

S   **Är det gångavstånd?**

/æːr dɛt ²gɔŋːavstɔnd/

D   **Er det gåafstand?** /æɡ d̥ɛð ˈgɔɡˌstæn/

N   **Er det gangavstand?**

/æɾ dɛt ˈgɑŋɑːʊstant/

다음 트램 정류장까지 얼마나 멀죠?

S   **Hur långt är det till nästa**

        spårvagnshållplats?

        /hʊr laŋt ɛr dɛt tɪl ²nɛksta ²spoːrvanɧɔlːplats/

D   **Hvor langt er det til næste**

        sporvognsstoppested?

        /voʁ ˈlaŋt æɐ̯ ḍeð til ˈnæɐ̯stˈspɒːɐ̯ˌ
        vɒmsdʌməstəpəstɛð/

N   **Hvor langt er det til neste**

        trikkeholdeplass?

        /ˈhvuːɾ ˈlaŋt ɛr dɛt tɪl ˈnɛstə ˈtrɪkəhɔldəpɑs/

다음 버스는 몇 시에 출발해요?

S   **När går nästa buss?**

        /nɛr goːr ²nɛksta bʊs/

D   **Hvornår går næste bus?**

        /ˈvoːˌnɒːɐ̯ ḍɒːˌɐ̯ ˈnæɐ̯stə ˈbʌs/

N   **Når går neste buss?**

/nɔr gɔr ˈnɛstə bʉs/

이 버스는 어디로 가죠?

S   **Vart går den här bussen?**

/vart goːr dɛn hɛr ²bɵsən/

D   **Hvor går denne bus hen?**

/voʁ ˈgɔɡ ˈdɛnə ˈbʊs hɛn/

N   **Hvor går denne bussen?**

/ˈhvuːr gɔr ˈdɛnə ˈbʉsən/

언제 ~에 도착하나요?

S   **När kommer vi fram till … ?**

/nɛr ²kɔmər vi fram tɪl .../

D   **Hvornår når vi frem til ...?**

117

/ ˈvɔɡnɒɡ ˈnɛːɡ vi ˈfʁɛm tɪl /

N   **Når kommer vi fram til...?**

/ nɔr ˈkɔmər vi frɑm tɪl/

다음 정류장은 어디인가요?

S   **Var är nästa hållplats?**

/var ɛr ²nɛksta ²holːplats/

D   **Hvor er næste stop?**

/voʁ ɛɡ ˈnæsʌ ˈstɔp/

N   **Hvor er neste stopp?**

/ˈhvuːɾ ɛɾ ˈnɛstə stɔp/

이 버스 / 기차~에 멈추나요?

S   **Stannar den här bussen / tåget vid..?**

/²stanːar dɛn hɛr ²bøsən ²toːgɛt vi/

D **Stopper denne bus/tog ved ...?**

/ ˈstɔbɐ ˈdɛnə ˈbʉs ˈtɔː ˈvɛð/

N **Stopper denne bussen/toget ved ...?**

/ ˈstɔpər ˈdɛnə ˈbʉsən ˈtʊʁət ved/

어디서 내려야 해요?

S **Var måste jag gå av?**

/var ²møstɛ jag gɔ aːv/

D **Hvor skal jeg stå af?**

/voʁ ˈskɑl jai̯ ˈsdɔ̞ ˈæɐ̯/

N **Hvor skal jeg gå av?**

/ˈhvuːɾ ʃal jeɪ gɔː ˈav/

갈아타야 하나요?

S   **Måste jag byta?** /məstɛ jag ²byːta/

D   **Skal jeg skifte?** /skɑːl jɛɡ̊ ˈʃiːftə/

N   **Må jeg bytte?** /moː jeɪ ˈbʏtə/

어디서 내려야하는지 알려주실 수 있으세요?

S   **Kan du säga mig var jag måste gå av?**

      /kan du ˈsɛːa ˈmeːj var jag ˈməsːtɛ ɡoː ɑv/

D   **Kan du sige mig, hvor jeg skal af?**

      /kʰan duː ˈsiːə ˈmai̯ ˈvoɡ̊ jɛɡ̊ ˈskɑːl ˈɑː/

N   **Kan du si meg hvor jeg må gå av?**

      / kan duː siː mei̯ hʉɐr jæi̯ måi̯ ˈɡoː ɑːʊ/

어디서 표를 살 수 있나요?

S   **Var kan jag köpa en biljett?**

/var kan jag ²ɕøːpa ɛn bɪlːjɛt/

D   **Hvor kan jeg købe en billet?**

/voɤ kʰɑn jai̯ ˈkʰøːbə ən ˈbiləd/

N   **Hvor kan jeg kjøpe en billett?**

/ˈhvuːɾ kɑn jeɪ ˈçøːpə ɛn ˈbɪlət/

편도/왕복 표 얼마에요?

S   **Hur mycket kostar en enkelbiljett**
        / en returbiljett?

/ hʊr ˈmykːɛr ˈɛn ˈɛŋkɛl̩ˌbɪljɛt ɛn ˈrɛtʊrˌbɪljɛt/

D   **Hvor meget koster en enkelt billet /**
        returbillet?

/voɤ ˈmeːjɛd̥ ˈkʰɒstʌ ne ˈeŋgəl ˈbiləd ˈʁeːtʊʁˌbiləd/

N   **Hvor mye koster en enkeltbillett /**
        returbillett?

/ˈhvuːɾ ˈmyːə ˈkɔstər ne ˈɛŋkəltˌbɪlət ˈreːtʉˌbɪlət/

자리를 예매해야 하나요?

S **Måste jag boka en plats?**

/ˈmøsːtɛ jag ˈbuːka ɛn plats/

D **Skal jeg bestille en plads?**

/skɑːl jɛɡ̊ bəˈstilə ɛn ˈplɑːs/

N **Må jeg bestille en plass?**

/moː jeɪ bəˈstɪlə ɛn ˈplɑs/

시간표를 얻을 수 있을까요?

S **Kan jag få en tidtabell?**

/kan jag foː ɛn ²tiːdtabɛl/

D **Kan jeg få en køreplan?**

/ kan jɑɪ̯ ˈfoː ˈɛn ˈkøːɐ̯ˌplɑn/

N **Kan jeg få en rutetabell?**

/kɑn jeɪ foː ən ˈrʉːtətɑˌbɛl/

택시 좀 불러주세요.

S   **Kan du ringa en taxi?**

/kan dy ²rɪŋga ɛn ²tak:si/

D   **Kan du ringe efter en taxa?**

/kʰan du ˈʁiŋə til ˈæftəɐ̯ ˈtʰɑgs/

N   **Kan du ringe etter en taxi?**

/kɑn du ˈrɪŋə ˈɛtər ən ˈtɑksi/

~까지 가는데 얼마입니까?

S   **Vad kostar det att åka till …?**

/ vad ˈkɔs:tar dɛt at ˈoːka tɪl/

D   **Hvor meget koster det at komme**

til...?

/ vɔɐ̯ ˈmeːð ˈkʰɔsdɐ dɛd at ˈkʰɔmə tʰil/

N   **Hvor mye koster det å dra til …?**

/ ʋɔr ˈmyːə ˈkʊstər dɛt oː ˈdrɑː tɪl/

이 주소로 가주세요.

S **Ta mig till den här adressen.**

/ ta mɛj tɪl dɛn hær ˈadːrɛsːɛn/

D **Tag mig til denne adresse.**

/ˈtʰɑːŭ ˈmaĭ ˈtil ˈdɛnə əˈdʁɛsdə/

N **Ta meg med til denne adressen.**

/tɑ meɪ meɪ mɛd tɪl ˈdɛnə ˈɑdʁɛsən/

가는데 얼마나 시간이 걸립니까?

S **Hur lång tid tar resan?**

/hʊr laŋ tɪd tar ²rɛːsan/

D **Hvor lang tid vil turen tage?**

/voŭ ˈlaŋ ˈtið ˈvilə ˈtuːʌn ˈtɑːŭə/

N **Hvor lang tid vil turen ta?**

/ˈhvuːɾ laŋ tɪd ʋɪl ˈtʉːɾən tɑ/

서둘러 주세요.

S   **skynda dig, snälla!** /²ɧʏnda dɪ ²snɛlːa/

D   **Skynd dig, tak!** /ˈsgyn d̥ai̯ tɑg/

N   **skynd deg, vær så snill!!**

        /ʂynd deɪ ʋæʁ soː snɪl/

교통 관련 단어

	스웨덴어	덴마크어	노르웨이어
교통	trafik	trafik	trafikk
신호등	trafikljus	trafiklys	trafikklys
횡단 보도	övergång sställe	fodgænger overgang	fotgjenger overgang
다리	bro	bro	bro
도로	väg	vej	vei
택시	taxi	taxa	drosje
트램	spårvagn	sporvogn	trikk
버스	buss	bus	buss
버스 정류장	buss hållplats	buss toppested	buss holdeplass
보도	trottoar	fortov	fortau
버스 운전사	buss chaufför	buschauffør	bussjåfør
승객	passagerare	passager	passasjer
안전 벨트	säkerhets bälte	sikkerheds sele	sikkerhets belte
자동차	bil	bil	bil
자전거	cykel	cykel	sykkel
정류장	hållplats	stoppested	holdeplass
지하철	tunnelbana	metro	T-bane

기차	tåg	tog	tog
철도	järnväg	jernbane	jernbane
기차역	tågstation	togstation	togstasjon
시간표	tidtabell	tidstabel	rutetabell
왕복표	returbiljett	returbillet	returbillett
편도표	enkelbiljett	enkeltbillet	enkeltbillett

방위	스웨덴어	덴마크어	노르웨이어
동쪽	öster	øst	øst
서쪽	väster	vest	vest
남쪽	söder	syd	sør
북쪽	norr	nord	nord

15　관광

관광 안내 센터는 어디죠?

S　**Var är turistinformationen?**

/var ²ɛr ²tʉːrɪstɪnfɔrmaːɧuːnən/

D　**Hvor er turistkontoret?**

/ˈvoɐ̯ ˈeɐ̯ ˈtʰʁɪstkʰʌnˌtoːɐ̯/

N　**Hvor er turistkontoret?**

/ˈhvuːɾ ɛr ˈtʉːrɪstkɔntʊrˌtʊʈ/

가볼 만한 곳이 어디인가요?

S　**Finns det några bra ställen att besöka?**

/fɪns dɛt ²noːgra bra ²stɛlːən at bə²søːka/

128

D   **Er der nogle gode steder at besøge?**

/ɛɐ̯ dæɐ̯ ˈnoːlə ˈɡoːðə ˈsteːðɐ ɑd̥ ˈbəˈsøːə/

N   **Er det noen gode steder å besøke?**

/æɾ dɛt ˈnœn ˈɡoːdə ˈstædəɾ oː bəˈsøːkə/

시내 지도가 있나요?

S   **Har du en stadskarta?**

/har dy ɛn ²stɑːts²kata/

D   **Har du et bykort?**

/haʁ du ˈɛd̥ ˈbyˌkʰɒd̥/

N   **Har du et bykart?** /haɾ dɥ eɪ byˈkaʈ/

지도에 표시해 줄 수 있으세요?

S   **Kan du markera det på kartan?**

/kan dy ma²ʈseːra dɛt på ²kaʈan/

129

D   **Kan du markere det på kortet?**

/kʰan du maʁˈkeːʁə ɖɛd ˈpɔ ˈkʰoʁd̥/

N   **Kan du merke det på kartet?**

/kan du ˈmærkə dɛt poː ˈkaʈət/

저희 사진 좀 찍어주시겠어요?

S   **Kan du ta en bild på oss?**

/kan dy ta ɛn bɪld på ɔs/

D   **Kan du tage et billede af os?**

/kʰan du ˈtʰɑːʊ̯ə ˈɛd̥ ˈbilədə að ɔs/

N   **kan du ta et bilde av oss?**

/kan du ta eɪ ˈbɪldə av ʊs/

사진찍어도 되나요?

S   **Kan jag ta ett foto?**

/kan jag ta ɛt ²fuːto/

D   **Kan jeg tage et billede?**

/kʰan jaj̱ ˈtʰɑːɥ̱ə ˈɛd̥ ˈbiləd̥ə/

N   **Kan jeg ta et bilde?**

/kɑn jeɪ tɑ eɪ ˈbɪldə/

~는 언제 열어요? /닫아요?

S   **När är .... öppen / stängd?**

/nɛr ɛr ... ²œpːən   stɛŋd/

D   **Hvornår er... åben /lukket?**

/ˈvɒ̱nɒː ɛ̱ɐ̯ ... ˈɔːbn̩   ˈlʊɡd̥/

N   **Når er.... åpen / stengt?**

/nɔɾ ˈæɾ ... ˈoːpən   ˈstɛŋkt/

단체 할인이 있나요?

S   **Finns det grupprabatt?**

/fıns dɛt ²grœp:rabät/

D   **Er der en grupperabat?**

/ɛɐ̯ d̥æɐ̯ ən ˈɡʁʊbəʁɑˌbad̥/

N   **Finnes det grupperabatt?**

/ˈfɪnəs dɛt ˈɡʁʉpəɾˌabat/

학생 할인이 있나요?

S   **Finns det studentrabatt?**

/fıns dɛt ²stødɛntra:bät/

D   **Er der rabat til studerende?**

/ɛɐ̯ d̥æɐ̯ ʁaˈbad̥ til ˈstʊðəˌʁɛndə/

N   **Finnes det studentrabatt?**

/ˈfɪnəs dɛt ˈstʉdəntˌɾabat/

어디서 ~를 할 수 있죠?

S   **Var kan jag göra ...?**

/var kan jag ²jø:ra .../

D   **Hvor kan jeg gøre ...?**

/ˈvoɐ̯ kʰɑn jai̯ ˈɡøːʁə .../

N   **Hvor kan jeg gjøre ...?**

/ˈhvuːɾ kɑn jei̯ ˈjøːɾə .../

주변에 ~가 있나요?

S   **Finns det ... i närheten?**

/fɪns dɛt ... i ²nɛːrˌhɛtɛn/

D   **Er der ... i nærheden?**

/ɛɐ̯ dæɐ̯ ... i ˈnæɐ̯hɛˌdeːn/

N   **Er det ... i nærheten?**

/æɾ dɛt ... ɪ ˈnæːɾhɛɪtən/

가이드 투어가 있나요?

S **Finns det guidade turer?**

/fɪns dɛt ²giːdaɛdɛ ²tuːrər/

D **Er der guidede ture?**

/ɛɐ̯ dæɐ̯ ˈgaɪdəðə ˈtuːɐ̯ə/

N **Er det guidede turer?**

/æɾ dɛt ˈgʉiːdədə ˈtʉːɾəɾ/

얼마나 걸려요?

S **Hur lång tid tar det?**

/hʊr laŋ tɪd tar dɛt/

D **Hvor lang tid tager det?**

/ˈvoɐ̯ ˈlaŋ ˈtið ˈtʰaːʊ̯ɐ d̥ɛd/

N **Hvor lang tid tar det?**

/ˈhvuːɾ laŋ tɪd taɾ dɛt/

134

자유시간이 있나요?

S   **har vi ledig tid?** / har vi ²leːdɪg tiːd/

D   **Har vi fritid?** /ˈhaʁ vi ˈfʁiːti/

N   **Har vi ledig tid?** /haɾ vi ˈleːdɪ ˈtiːd/

자유 시간 얼마나 있어요?

S   **Hur mycket ledig tid har vi?**

         /hʊr ²mʏkːt ²leːdɪg tiːd har vi/

D   **Hvor meget fritid har vi?**

         /ˈvoʁ̥ ˈmeːjɛd̥ ˈfʁiːti ˈhaʁ vi /

N   **Hvor mye fritid har vi?**

         /ˈhvuːɾ ˈmyːə ˈfrɪtɪd haɾ vi /

장소 관련 단어

	스웨덴어	덴마크어	노르웨이어
교회	kyrka	kirke	kirke
PC방	internet kafé	internet café	Internettkafé
경찰서	polis station	politi station	politistasjon
공원	park	park	park
궁전	palats	palads	palass
극장	teater	teater	teater
나이트 클럽	nattklubb	natklub	nattklubb
대학	universitet	universitet	universitet
도서관	bibliotek	bibliotek	bibliotek
동물원	djurpark	dyrepark	dyrehage
레스토랑	restaurang	restaurant	restaurant
미용실	skönhets salong	skønhed ssalon	skjønnhets salong
바	bar	bar	bar
박물관	museum	museum	museum
백화점	varuhus	varehus	varehus
병원	sjukhus	hospital	sykehus
빵집	bageri	bageri	bakeri

서점	bokhandel	boghandel	bokhandel
성	slott	slot	slott
성당	katedral	katedral	katedral
소방서	brand station	brand station	brannstasjon
수영장	sim bassäng	svømme pøl	svømme basseng
슈퍼마켓	stor marknad	super marked	super marked
시청	rådhus	rådhus	rådhus
신발가게	skoaffär	skobutik	skobutikk
약국	apotek	apotek	apotek
영화관	bio	biograf	kino
옷가게	klädbutik	tøjbutik	klesbutikk
유원지	nöjespark	forlystelses park	fornøyelses park
정육점	slakteri	slagter	slaktere
키오스크	kiosk	kiosk	kiosk
학교	skola	skole	skole
항구	hamn	havn	havn

관광 관련 단어

	스웨덴어	덴마크어	노르웨이어
가이드북	guidebok	guidebog	guidebok
관광	sightseeing	sightseeing	sightseeing
관광 안내소	turistkontor	turistkontor	turistkontor
관광객	turist	turist	turist
기념품점	presentbutik	gavebutik	gavebutikk
매표소	biljett kontor	billet kontor	billet kontor
분실물 사무소	förlorat och hittat	tabt og fundet	mistet og funnet
사진	foto	foto	bilde
신혼 여행	smek månad	bryllup srejse	bryllup sreise
안내 책자	broschyr	brochure	brosjyre
여행	resa	rejse	reise
예약	bokning	bestilling	bestilling
일정표	resväg	rejseplan	reiserute
입장권	biljett	billet	billett
입장료	pris	pris	pris
자유 시간	fritid	fritid	fritid

지도	karta	kort	kart
차례, 줄	kö	kø	kø
출장	affärs resa	forretnings rejse	forretnings reise

공 항

16-1) 출국 시

어디로 가십니까?

S **Var är din destination?**

/ var ɛr diːn dɛs.tɪnaˈɧuːn/

D **Hvor er din destination?**

/ vor ɛr dɪn dɛstɪnaˈɧoːn/

N **Hvor er din destinasjon?**

/ hvor ɛr diːn dɛstɪnaˈʃuːn/

여권을 볼 수 있을까요?

S **Kan jag få se ditt pass, tack.**

/kan jag foː se dɪt pas tak/

D   **Kan jeg se dit pas tak?**

/kʰɑn jai̯ ˈseː ɖið ˈpɑs tak/

N   **Kan jeg se passet ditt, tak?**

/kɑn jeɪ sə ˈpɑsət dɪt tak /

예약을 확인/취소/변경하고 싶어요.

S   **Jag vill bekräfta / avbryta / ändra**

       min reservation.

/jag ²vɪl bɛˈkrɛnːta / ²ɑːvˌbrʏːta / ²ɛnːdra mɪn
rɛsɛrvaˈɧuːn/

D   **Jeg vil gerne bekræfte / annullere /**

       ændre min reservation.

/jai̯ vɪl ˈgæːnə bəˈkʰʁɛftə / ɑnʌlˈæːnə
/ ˈɛnˌdʁə mɪn ʁəsəʊaˈʦioːn/

N   **Jeg vil bekrefte / avbestille / endre**

       min reservasjon.

/jeɪ ʋɪl bəˈkrɛftə / ˌɑːʋbəˈstɪlə / ˌɛndrə mɪn
ˌresəʋɑˈʃuːn/

인터넷으로 예약했어요.

S   **Jag bokade online.**

/jag buːˈkadɛ ɔnˈlaɪn/

D   **Jeg bookede online.**

/ jaj ˈboːkədə ɔnˈliːnə/

N   **Jeg booket online.**

/jæɪ buːˈkɛt ɔnˈlaɪnə/

창가 쪽 / 복도 쪽 좌석 주세요.

S   **Jag vill ha ett fönstersäte**
/ ett mittgångssäte.

/jag vɪl ha ɛt ˈfœnsterˌsɛːtə / ɛt ˈmɪtˌɡɔŋssɛːtə/

D   **Jeg vil gerne have en vinduesplads**

/ en midtergangsplads.

/jaj vɪl ˈgæːnə ˈhaːvə ən ˈvinduːəsˌplas
/ ən ˈmiːdəgaŋsˌplas/

N   **Jeg vil ha et vindussete**

/ et midtgangsete.

/jæɪ̯ vɪl ha ɛt ˈvɪndɵsˌsɛːtə / ɛt ˈmɪdɵgaŋsˌeːtə/

수화물 몇 개까지 허용돼요?

S   **Hur många väskor får jag checka in?**

/hɵr ²moːŋːa ²vɛsːkʊr foːr jag ²ʂɛkːa ɪn/

D   **Hvor mange kufferter kan jeg**

tjekke ind?

/ˈvoʁ ˈmaŋə ˈkʊfəʁtəʁ kʰan jaɪ̯ ˈtʰɛkə ˈin/

N   **Hvor mange bagasje kan jeg**

sjekke inn?

/ˈhvuːɾ ˈmaŋə ˈbagaʃə kan jeɪ ˈʃɛkə ɪn/

몇 번 게이트로 가야 하나요?

S   **Vilken gate behöver jag gå till?**

/ˈvɪlkən ²gɑːtə bɛˈhøːvər jag goː til/

D   **Hvilken gate skal jeg gå til?**

/ˈhʋilˌkʰən ˈgɑːdə ˈskɑl jai̯ goˈtil/

N   **Hvilken gate skal jeg til?**

/ˈhʋɪlkən ˈgɑːtə ʃɑl jeɪ tɪl/

몇 시까지 체크인 해야 하나요?

S   **När ska jag checka in?**

/nɛr ska jag ²ʂɛkːa ɪn/

D   **Hvornår skal jeg tjekke ind?**

/ˈvoɡnoːɐ̯ ˈskɑl jai̯ ˈtʰɛkə ˈin/

N   **Når skal jeg sjekke inn?**

/nɔr ʃɑl jeɪ ˈʃɛkə ɪn/

출발이 지연되었습니다.

S **Flyget har blivit försenat.**

/²flygɛt har bliːvɪt fœrˈseːnat/

D **Afgangen er blevet forsinket.**

/ˈafgaŋən ɛʁ ˈbleʊ̯ˀəd̥ fɔʁˈsɪŋˌgɛd̥/

N **Flyet har blitt forsinket.**

/ˈflyːət haɾ bliːt fɔɾˈsɪŋkt/

비행기가 취소되었습니다.

S **Flyget har blivit inställt.**

/²flygɛt har bliːvɪt ²ɪnːstɛlt/

D **Afgangen er blevet aflyst.**

/ˈafgaŋən ɛʁ ˈbleʊ̯ˀəd̥ ˈafˌlysd̥/

N **Flyet har blitt innstilt.**

/ˈflyːət haɾ bliːt ˈɪnstɪlt/

안전벨트를 착용해 주십시오.

S   **Spänn fast säkerhetsbältet.**

/ʂpɛn: fast ²sɛk:ɛrhɛts'bɛl:tɛt/

D   **Spænd sikkerhedsbæltet.**

/spɛnˀ 'sigɡhɛds‚bɛlˀdəd/

N   **Vennligst fest sikkerhetsbeltet.**

/'ʋɛn:lɪxt fɛst 'sɪkər‚hætsbɛltət/

자리로 돌아가 주십시오.

S   **Gå tillbaka till din plats.**

/goː ²tɪlbɑːka til dɪn plats/

D   **Gå tilbage til dit sæde.**

/gɔ 'til‚bɑːj 'til dʲð 'sɛːdə/

N   **Gå tilbake til setet ditt.**

/goː tɪl'bɑːkə tɪl 'seːtət dɪt/

마실 것 좀 주세요.

S   **Jag vill ha något att dricka.**

/jag ²vɪl ha ²noːgɔt at ²drɪkːa/

D   **Jeg vil have noget at drikke.**

/jai̯ vɪl ˈhaʊ̯ə ˈnoːjəd að ˈdʁiːgə/

N   **Jeg vil ha noe å drikke.**

/jeɪ ʊl ha nʊ ɔ ˈdrɪkə/

이 자리 사람 있나요?

S   **Är den här platsen upptagen?**

/ɛr dɛn ²hæːr ²platsɛn ²ɵpːtaːgən/

D   **Er det sæde optaget?**

/ɛɡ̊ d̥ɛd ˈsɛːdə ˈɔpˌtʰɑːdə/

N   **Er dette setet opptatt?**

/æɾ ˈdɛsə ˈseːtət ˈɔptɑt/

147

휴대전화를 꺼주세요.

S   **Stäng av din mobiltelefon.**

/ʂtɛŋ: af dɪn ²muːbɪlˌtɛlɛˈfuːn/

D   **Sluk for din mobiltelefon.**

/ˈslʊg fɒʁ dɪð ˈmoːbilˌteˌlɛˌfoːn/

N   **Slå av mobiltelefonen.**

/slɔː ɑʊ ˈmuːbiːltɛlɛˌfɔːnən/

16-2) 입국 시

여행 목적은 무엇입니까?

S   **Vad är avsikten med din resa?**

/vad ɛr av²sɪkːtɛn mɛd dɪn ²reːsa/

D   **Hvad er formålet med deres besøg?**

/ˈʋad ɛɤ fɔɤˈmɔʔl mɛð ˈðeːɤ̯əs bəˈsøːj/

N   **Hva er hensikten med besøket?**

/ˈʋɑ ær ˈhɛnsɪktn̩ me ˈbəsøːkət/

148

출장 중입니다.

S   **Jag är på affärsresa.**

/jag ɛr på ²afːɛrsˌreːsa/

D   **Jeg er på forretningsrejse.**

/jai̯ ɛɐ̯ pɔ ˈfɒʁɛtnɛsˌʁai̯zə/

N   **Jeg er på forretningsreise.**

/jeɪ ɛɾ po ˈfɔʂnɪŋsˌɾæɪsə/

휴가로 왔어요.

S   **Jag är på semester.** /jag ɛr på ²sɛmsˌtɛr/

D   **Jeg er på ferie.** /jai̯ ɛɐ̯ pɔ ˈfeːʁiə/

N   **Jeg er på ferie.** /jeɪ ɛɾ po ˈfeːɾiə/

단체 여행으로 왔습니다.

S **Jag reste med en turistgrupp.**

/jag ˈrɛsːtə mɛd ɛn ²tʉːrɪstˌgrɵp/

D **Jeg er her med en turistgruppe.**

/jai̯ ɛɣ̊ ˈheɣ̊ mɛð ən ˈtuːʁis tgʁʉpə/

N **Jeg er her med en turistgruppe.**

/jeɪ ɛr heːɾ me ən ˈtuːrɪstˌgrʉpə/

친척을 만나러 왔습니다.

S **Jag ska besöka släktingar.**

/jag ska bɛˈsøːka ²slɛkːtɪŋar/

D **Jeg besøger slægtninge.**

/jai̯ bəˈsøːjə ˈslɛktnəŋə/

N **Jeg besøker slektninger.**

/jeɪ bəˈsøːkəɾ ˈslɛktənə/

어디에서 지내실 겁니까?

S   **Var ska du bo?** /vɑr ska dʉ: bu/

D   **Hvor skal de bo?** /ˈʋɒɡ̊ ˈsɡɑl də ˈbo/

N   **Hvor skal du bo?** /ˈhvuːɾ skɑl du: bu:/

얼마동안 머물 예정입니까?

S   **Hur länge kommer du att vara här?**

      / hʊr ˈlɛŋ:ə ˈkɔm:ər du: at ˈva:.ra hɛ:r

D   **Hvor længe vil du være her?**

      / vɔr ˈlɛŋ:ə ˈvil du ˈbæ:rə ˈhe:r/

N   **Hvor lenge skal du være her?**

      / hvor ˈlɛŋ:ə ʃɑl du: ˈvæ:rə hæ:r/

며칠간만요.

S   **ett par dagar.** /ɛt pa:r ²dɑ:gar/

151

D   **et par dage.** /ɛt pɑː ˈdɑːjə/

N   **et par dager.** /et pɑr ˈdɑːgər /

3주 동안 있을 겁니다.

S   **Jag kommer att vara här i tre veckor.**

/jag ²kɔmːɛr at ²vaːra hæːr i tre ²vɛkːɔr/

D   **Jeg vil være her i tre uger.**

/jai̯ vɪl ˈvæːɐ̯ hɛɐ̯ iː ˈtʁeː ˈuːɐ̯ə/

N   **Jeg vil være her i tre uker.**

/jeɪ ʋɪl ˈʋæːɾə heːɾ i tre ˈʉːkəɾ/

신고 할 것 있으십니까?

S   **Har du något att deklarera?**

/har dʉː ²noːgɔt at dɛklaˈreːra/

D   **Har du noget at erklære?**

/ˈhaʁ d̥u ˈnojəd ad̥ ˈɛʁˌkleːɐ̯ə/

N   **Har du noe å erklære?**

/har dʉ nʊ ɔ ˌæːɾklæːɾə/

신고 할 것 없습니다.

S   **Jag har inget att deklarera.**

/jag har ²ɪŋːɛt at dɛklaˈreːra/

D   **Jeg har intet at erklære.**

/jai̯ haɐ̯ ˈinˌteð ad̥ ˈɛʁˌkleːɐ̯ə/

N   **Jeg har ingenting å erklære.**

/jeɪ ha ŋənˈtɪŋ ɔ ˌæːɾklæːɾə/

어디서 가방을 찾나요?

S   **Var kan jag hämta mina väskor?**

/vɑr kan jag ²hɛmːta ²miːna ²vɛsːkɔr/

D   **Hvor kan jeg hente min bagage?**

/ˈvɒɡ ˈkʰan jaɪ̯ ˈhɛntə mɪn bɑːˈgæːjə/

N   **Hvor kan jeg hente bagasjen min?**

/ˈhvuːɾ kan jeɪ ˈhɛntə bɑˈgɑʃən mɪn/

제 가방이 없어졌습니다.

S   **Mitt bagage har försvunnit.**

/mɪt bɑːˈgaːjə har fœrˈsønːɪt/

D   **Min bagage er forsvundet.**

/mɪn bɑːˈgæːjə ɛɡ̊ fɒʁsˈvʊnˌdəð/

N   **Bagasjen min har forsvunnet.**

/bɑˈgɑʃən mɪn har fɔɾˈsvʉnət/

가방을 열어 볼 수 있습니까?

S   **Kan du vara snäll och öppna din väska?**

/kan dʉ: vara ²snɛl: ɔk ²œp:na dɪn ²vɛs:ka/

D   **Kunne de venligst åbne deres taske, tak?**

/'kʰʊnə də 'ʋɛnˌligst 'ɔbˀnə 'deɡəs 'tɑ:skə 'tag/

N   **Kan du åpne vesken din, takk?**

/kɑn du 'ɔpnə 'ʋɛskən di:n tɑk/

공항에서 시내로 가려면 어떻게 해야 하나요?

S   **Hur kan jag åka in till centrum från flygplatsen?**

/hʉ:r kan jag ²o:ka ɪn til ²sɛnt:rəm frɔn ²fly:gˌplat:sɛn/

D   **Hvordan kan jeg komme**

til centrum fra lufthavnen?

/ˈʊɒɡ̊ɐn kʰan jaɪ̯ ˈkʰɔmə til ˈsɛntrʊm ˈfʁɑː ˈlɒftˌhaɡ̊nən/

N **Hvordan kan jeg komme til sentrum fra flyplassen?**

/ˈhʋɔɾdan kan jeɪ ˈkɔmə tɪl ˈsɛntrʊm frɑ flyːplasən/

시청까지 가는 버스가 있나요?

S **Finns det en buss som går till stadsrådhuset?**

/fɪns dɛt ɛn bʉs sɔm ɡoːr til stadsrådhuset/

D **Er der en bus, der kører til rådhuset?**

/ɛɐ̯ d̥æɐ̯ ɛn ˈbus, d̥æɐ̯ ˈkʰøːʌ ˈtil rådhuset]/

N **Er det en buss som går til rådhuset?**

/æɾ dɛt ɛn bʉs sɔm ɡoːɾ tɪl rådhuset]/

공항에서 출발하는 기차가 있나요?

S   **Finns det ett tåg som avgår**

från flygplatsen?

/fɪns dɛt ɛt tɔːg sɔm ²avˌgoːr frɔn ²flyːgˌplatːsɛn/

D   **Er der et tog, der afgår**

fra lufthavnen?

/ɛɐ̯ dæɐ̯ ɛt ˈtoː, dæɐ̯ ˈavˌgɔɐ̯ fʁa loftˌhaʊ̯nən/

N   **Er det et tog som går fra flyplassen?**

/æɾ dɛt ɛt ˈtoːg sɔm goːɾ fɾa flyːplasən/

공항 관련 단어

	스웨덴어	덴마크어	노르웨이어
공항	flygplats	lufthavn	flyplass
국내선	inrikesflyg	indenrigs flyvning	innenlands flygning
국적	nationalitet	nationalitet	nasjonalitet
국제선	internationell flygning	international flyvning	internasjonal flyging
기내 수하물	handbagage	håndbagage	håndbagasje
면세점	taxfree butik	toldfri butik	tollfri butikk
비행기	flygplan	fly	fly
비행기 표	flygbiljett	flybillet	flybillett
사증, 비자	visum	visum	visum
세관	tull	told	toll
세금	skatt	skat	skatt
스탑 오버	mellan landning	mellem landing	mellom landing
여권	pass	pas	pass
외국	utland	udland	utland
위탁 수하물	incheckat bagage	indchecket bagage	innsjekket bagasje
항공사	flygbolag	flyselskab	flyselskap
항공편	flygning	flyvning	flygning

항공편 번호	flygnummer	flynummer	flight nummer

17

쇼 핑

어느 곳에서 ~를 살 수 있죠?

S **Var kan jag köpa …?**

/var kan jag ²ɕøːpa/

D **Hvor kan jeg købe…?**

/ˈvɒ̥ ˈkʰan jai̯ ˈkøːbə/

N **Hvor kan jeg kjøpe …?**

/ˈhʋɔɾ kɑn jeɪ ˈçœʉpə/

가게 언제 열어요?

S **När har ni öppet?**

/² nɛr ²tiːdɛr har ni ²œpːɛt/

D **Hvornår har I åbent?**

160

/ ˈvɔrnoɡ hɑː ˈi ˈɔbn̩t/

N   **Når har dere åpent?**

/ nɔr hɑr ˈdeːrə ˈɔpnt/

무엇을 도와드릴까요?

S   **Hur kan jag hjälpa dig?**

/huːr kan jag ²jɛlːpa dɪj/

D   **Hvordan kan jeg hjælpe dig?**

/ˈʋɒɡɐn kʰan jai̯ ˈjɛlˌpə d̥ai̯/

N   **Hvordan kan jeg hjelpe deg?**

/ˈhʋɔrdan kan jeɪ ˈjɛlpə deɪ/

괜찮아요, 그냥 보는 거에요.

S   **Nej tack, jag tittar bara.**

/nej tak, jag ²tɪtːar ²baːra/

D   **Nej tak, jeg kigger bare.**

161

/ˈnaj ˈtɑg, jaɪ̯ ˈkʰiːgə ˈbɑːʊ̯ə/

N   **Nei takk, jeg bare titter.**

/næɪ tɑk jeɪ jɛɪ ˈbɑːɾə ˈtɪtəɾ/

~를 찾고 있는데요.

S   **Jag letar efter...** /jag ²leːtar ²ɛfːtɛr/

D   **Jeg leder efter...** /jaɪ̯ ˈleːðɐ ˈæfɐ/

N   **Jeg ser etter...** /jeɪ sæɾ ˈɛtəɾ/

~를 파나요?

S   **Säljer ni ...?** /²sɛlːjɛr ni/

D   **Sælger I ...?** /ˈsɛlgər i /

N   **Selger du ...?** /ˈsɛlgəɾ dʉ/

162

입어 봐도 되나요?

S **Kan jag prova denna?**

/kan jag ²pruːva ²dɛnːa/

D **Må jeg prøve denne?**

/maɪ jaɪ ˈpʁøːʊ̯ ˈdɛnə/

N **Kan jeg prøve denne?**

/kɑn jeɪ ˈpɾøːʊə ˈdɛnə/

큰/작은 사이즈는 없나요?

S **Har du större / mindre storlek?**

/har dʉː ²stœːɾɛ / ²mɪndɾɛ ²stuːrːlɛk/

D **Har du større / mindre størrelse?**

/ˈha ˈdʉ ˈstøːɐ / ˈmɪnˌdɾə ˈstøːɐlsə/

N **Har du større / mindre størrelse?**

/hɑɾ dʉ ˈʂøɾə / ˈmɪndɾə ˈʂœʉɾəlsə/

싼 것은 없나요?

S   **Finns det något billigare?**

/fɪns dɛt ²noːgɔt ²bɪlːɪɡˌaːrɛ/

D   **Er der noget billigere?**

/ɛɐ̯ d̥æɐ̯ ˈnojəd̥ ˈbilɪɡɐ̯ə/

N   **Er det noe billigere?**

/æɾ dɛt nʊ ˈbɪlɪɡəɾə/

이것은 얼마입니까?

S   **Hur mycket kostar denna?**

/hʉːr ²mykːɛr ²kɔsːtar ²dɛnːa/

D   **Hvor meget koster denne?**

/ˈʋɒ̯ ˈmeːjə ˈkʰʌsd̥ə ˈdɛnə/

N   **Hvor mye koster denne?**

/ˈhʊɔɾ ˈmyːə ˈkɔstərˈdɛnə/

또 필요한 것은 없으세요?

S **Behöver du något mer?**

/ bɛˈhøːver du ˈnoːgɔt mɛr/

D **Skal du have mere?**

/ ˈskæl du ˈhævə ˈmæːrə/

N **Trenger du noe mer?**

/ˈtrɛŋər dʉ nʊ ˈmæːɾ/

네 다른 것은 필요 없어요.

S **Nej tack. Inget annat.**

/nej tak. ²ɪŋːɛt ²anːat/

D **Nej tak. Intet andet.**

/ˈnaj ˈtɑg. ˈintəd ˈɑnəd̥ɑd̥/

N **Nei takk. Ingenting annet.**

/næɪ tɑk ɪnˈgəntɪŋ ˈɑnət/

모두 얼마입니까?

S   **Hur mycket totalt?**

       /hʉːr ²mykːɛr ²tʊː ˌtaːlt/

D   **Hvor meget i alt?** /ˈʋɒɡ̊ ˈmeːjə i ˈɑlt/

N   **Hvor mye totalt?**

       /ˈhʊɾ ˈmyːə tʊˈtɑlət/

싸네요. / 비싸네요.

S   **Det var billigt / dyrt.**

       /dɛt var ²bɪlːɪgt / dyːrt/

D   **Det er billigt / dyrt.**

       /d̥ai̯ ɛɡ̊ ˈbiliʌd̥ / ˈdʏˀʌd̥/

N   **Det er billig / dyrt.** /dɛt ær ˈbɪlɪg / dʏʈ/

깎아 주실 수 있으세요?

S　**Kan du sänka priset?**

　　/kan dɯ: ²sɛŋ:ka ²pri:sɛt/

D　**Kan du sænke prisen?**

　　/'kʰan d̪u 'sɛŋgə 'pʁi:sən/

N　**Kan du senke prisen?**

　　/kɑn dɯ 'sɛŋkə 'pri:sən/

신용카드로 계산 되나요?

S　**Tar ni kreditkort?**

　　/tar ni ²kri:dɛɪtkɔʈ/

D　**Tager I kreditkort?**

　　/'tɑ:jɐ i 'kʁi:dɪt̪ˌkʰɒɡ̊d̥/

N　**Tar du kredittkort?**

　　/tɑɾ dɯ 'krɛdɪtˌkɔʈ/

영수증을 받을 수 있나요?

S　　**Kan jag få en kvittens?**

/kan jag få ɛn ˈkviːtɛns/

D　　**Kan jeg få en kvittering?**

/kʰan jaɪ̯ ˈfɔ ɛn ˈkʰʊɪtəʁiŋ/

N　　**Kan jeg få en kvittering?**

/kɑn jeɪ ˈfoː ən ˌkʊɪtərɪŋ/

비닐 봉지를 받을 수 있나요?

S　　**Kan jag få en plastpåse?**

/kan jag få ɛn ²plasːt ˌpoːsɛ/

D　　**Kan jeg få en plastikpose?**

/kʰɑn jaɪ̯ ˈfɔ ɛn ˈplasˌtʰigˌpʰoːsə/

N　　**Kan jeg få en plastpose?**

/kɑn jeɪ ˈfoː ən ˈplastˌpʊsə/

168

이것은 망가졌어요.

S   **Det här är trasigt.** /deːt hæːr ɛr ˈtraːsɪt/

D   **Dette er ødelagt.** /ˈd̥ɛtə ɛɡ̊ ˈøːləlagt/

N   **Dette er ødelagt.** /ˈdɛtə æɾ ˈœʉːɾəlɑkt/

이것은 손상되었습니다.

S   **Detta är bortskämt.**

         /²dɛtːa ɛr ²buːʈɧɛmːt/

D   **Dette er beskadiget.**

         /ˈd̥ɛtə ɛɡ̊ ˈfʊʁ bəˈskaðiːədə/

N   **Dette er bortskjemt.**

         /ˈdɛtə æɾ ˈbɔʈʂɛmt/

이것을 바꾸고 싶어요.

S **Jag skulle vilja byta detta.**

/jag ²ʃʉl:dɛ vɪl:ja ²byːta ²dɛːta/

D **Jeg vil gerne bytte dette.**

/jai̯ ˈʋiːl ˈgæːnə ˈbʏdə dɛd̥ə/

N **Jeg vil gjerne bytte dette.**

/jeɪ vɪl ˈjɛrːnəˈbʏtə ˈdɛtə/

쇼핑 관련 단어

	스웨덴어	덴마크어	노르웨이어
거스름돈	växel	byttepenge	veksel
가격	pris	pris	pris
사이즈	storlek	størrelse	størrelse
상점	affär	butik	butikk
선물	gåva	gave	gave
세일	rea	salg	salg
손님	kund	kunde	kunde
쇼윈도우	skyltfönster	butiksvindue	butikkvindu
쇼핑 거리	shopping gata	shoppinggade	handlegate
쇼핑 센터	köpcentrum	indkøbscenter	kjøpesenter
영수증	kvitto	kvittering	kvittering
영업 시간	öppettid	åbningstid	åpningstid
입구	ingång	indgang	inngang
점원	affärsbiträde	butiksassistent	ekspeditør
출구	utgång	udgang	utgang
패션	mode	mode	mote
품절	utsåld	udsolgt	utsolgt
품질	kvalitet	kvalitet	kvalitet

	provrum	prøverum	prøverom
피팅 룸			
환불	återbetalning	tilbagebetaling	tilbakebetaling

옷 관련 단어

	스웨덴어	덴마크어	노르웨이어
넥타이	slips	slips	slips
모자	hatt	hat	hatt
바지	byxor	bukser	bukser
벨트	bälte	bælte	belte
블라우스	blus	bluse	bluse
우비	regnrock, regnkappa	regnfrakke	regnjakke
셔츠	skjorta	skjorte	skjorte
속옷	underkläder	undertøj	undertøy
손수건	näsduk	lommetørklæde	lommetørkle
수영복	baddräkt	badedragt	badedrakt
스카프,목도리	sjal, halsduk	sjal, tørklæde	skjerf
스커트	kjol	nederdel	skjørt
스타킹	strumpbyxor	strømpebukser	strømpebukser

신발	skor	sko	sko
양말	strumpor	sokker	sokker
장갑	handskar	handsker	hansker
재킷	jacka	jakke	jakke
청바지	jeans	jeans	jeans
코트	kappa	frakke	frakk
가디건	kofta	cardigan	kardigan

미용, 패션 관련 단어

	스웨덴어	덴마크어	노르웨이어
핸드백	handväska	håndtaske	håndveske
귀걸이	örhänge	øreringe	ørepynt
지갑	plånbok	pung	lommebok
동전 지갑	myntbörs	pengepung	pengepung
립스틱	läppstift	læbestift	leppestift
빗	kam	kam	kam
선글라스	solglasögon	solbriller	solbriller
마사지	massage	massage	massasje

매니큐어액	nagellack	neglelak	neglelakk
반사체	reflex	refleks	refleks
손목시계	armbandsur	armbåndsur	armbåndsur
아이라이너	eyeliner	eyeliner	eyeliner
선크림	solkräm	solcreme	solkrem
향수	parfym	parfume	parfyme
데오드란트	deodorant	deodorant	deodorant
아이섀도	ögonskugga	øjenskygge	øyenskygge
화장	smink	makeup	sminke
안경	glasögon	briller	briller
팔찌	armband	armbånd	armbånd
목걸이	halsband	halskæde	halskjede

색	스웨덴어	덴마크어	노르웨이어
빨강색	röd	rød	rød
분홍색	rosa	lyserød	rosa
주황색	orange	orange	oransje
노란색	gul	gul	gul
녹색	grön	grøn	grønn
파랑색	blå	blå	blå
보라색	lila	lilla	lilla
갈색	brun	brun	brun
회색	grå	grå	grå
검은색	svart	sort	svart
흰색	vit	hvid	hvit

18

숙 박

빈방 있습니까?

S **Har ni några lediga rum?**

/har ni ²nøgra ²le:dɪga røm/

D **Har I ledige værelser?**

/hɑr i 'le:ðə vɛɡ'lɐ/

N **Har du ledige rom?**

/hɑr dʉ 'le:dɪgə 'rʊm/

싱글/더블룸 있나요?

S **Har du ett enkelrum / dubbelrum?**

/har dʉ: ɛt ²ɛŋ:kɛlˌrøm   ²døb:ɛlrøm/

D **Har du et enkeltværelse**

176

/ dobbeltværelse?

/ha du ɛd ˈɛngəlˌvæɡlə / ˈdʌblˌvæɡlə/

N   **Har du et enkeltrom / dobbeltrom?**

/haɾ dɵ ət ˈɛŋkəltrʊm   ˈdɔblətrʊm/

얼마 동안 머물 예정이십니까?

S   **Hur länge stannar du?**

/hɵːr ²lɛŋːə ²stanaɾ dɵː/

D   **Hvor længe bliver du?**

/vɒɡ ˈlɛŋə ˈbliːvɐ du/

N   **Hvor lenge blir du?**

/ˈhʊɔɾ ˈlɛŋə bliːɾ dɵ/

1박 / 3박 묵겠습니다.

S   **Jag kommer att stanna en natt.**

    / tre nätter.

/jag ²kɔmːɛr at ²stana ɛn nat / treː ²nɛtːɛr/

D   **Jeg bliver en nat. / tre nætter.**

/jai̯ ˈbliːvɐ ˈeːn ˈnɑd / tʁe ˈnɛdɐ/

N   **Jeg blir en natt. / tre netter.**

/jeɪ bliːɾ ən nat / trə ˈnɛtəɾ/

~란 이름으로 예약했습니다.

S   **Jag bokade ett rum i namnet...**

/jag bʊˈkaːdɛ ɛt rəm ɪ ²naːmːnɛt/

D   **Jeg har reserveret et værelse**

        i navnet...

/jai̯ ha ʁesəvəˈʁeʔd ɛd ˈvɛɐlə i ˈnaːu̯nət/

N   **Jeg har booket et rom i navnet**

        til...

/jeɪ haɾ ˈbuːkət ət ˈɾʊm ɪ ˈnɑʊnət til/

하룻밤에 얼마입니까?

S **Vad kostar det per natt?**

/vad ²kɔsːtar dɛt pɛr nat/

D **Hvad er prisen per nat?**

/vad ɛɐ̯ ˈpʁiːsən pæɐ̯ ˈnad/

N **Hva er prisen per natt?**

/ˈhʋɑ ɛɾ ˈpriːsn pəɾ nɑt/

아침이 포함된 가격인가요?

S **Inkluderar priset frukost?**

/ɪŋkləˈdeːrar ²priːsɛt ²fruˌkɔst/

D **Inkluderer prisen morgenmad?**

/ˈʔinkluːdəʁɐ ˈpʁiːsən ˈmɒːˀnmað/

N **Inkluderer prisen frokost?**

/mˈklɨːdərəɾ ˈpriːsn ˈfrokɔst/

179

몇 시에 아침인가요?

S **När är det frukost?**

/nɛr ɛr dɛt ²frʊˌkɔst/

D **Hvornår er morgenmaden?**

/ˈvɒɐ̯nɒːʊ̯ ˈʔeːʁ ˈmɒːˀnmaðn̩/

N **Når er frokosten?** /nɑɾ ɛɾ ˈfrʊkɔstən/

화장실 딸린 방으로 주세요.

S **Jag vill ha ett rum med badrum.**

/jag vɪl ²ha ɛt rəm mɛd ²badːrəm/

D **Jeg vil have et værelse med**

et badeværelse.

/jai̯ ˈvil ˈhæːvə ˈɛd ˈvɛɐ̯lə mɛð ˈɛd ˈbaːdəvæɐ̯ləsə/

N **Jeg vil ha et rom med bad.**

/jei̯ ʋiːl ha ət ˈrʊm mɛð baː/

미리 지불하셔야 합니다.

S　　**Du måste betala i förskott.**

　　/duː ²møsːtɛ bɛ'taːla ɪ ²fœʂkɔt/

D　　**Du skal betale på forhånd.**

　　/du 'sgɑːl 'bədæló po 'fʊʁˌhɔn/

N　　**Du må betale på forhånd.**

　　/du moː 'bətɑːló poː 'fɔrˌhɔn/

어디서 인터넷을 쓸 수 있죠?

S　　**Var kan jag använda internet?**

　　/var kan jag ²ɑnːsønːda ²ɪntɛʁnɛt/

D　　**Hvor kan jeg bruge internettet?**

　　/vɒʁ kan jai̯ 'bʁɔ 'ʔinɐˌnɛtət/

N　　**Hvor kan jeg bruke Internett?**

　　/'hʊɔr kan jeɪ 'bruːkə 'ɪntəɲɛt/

181

무료 와이파이가 있나요?

S **Finns det gratis WiFi tillgängligt?**

/ fɪns dɛt ˈɡrɑːtɪs ˈwiːfi ˈtɪlː ˌjɛŋlɪt /

D **Er der en gratis wifi?**

/eːʀ d̥eːɐ̯ ˈɛn ˈɡʁɑːtɪs ˈwiːfi/

N **Er det en gratis wifi?**

/æɾ dɛt ən ˈɡrɑːtɪs ˈwiːfi/

와이파이 비밀 번호가 무엇인가요?

S **Vad är wifi-lösenordet?**

/vad ɛr ²wiːfiː-²løːsɛnɔd̥ɛt/

D **Hvad er wifi-adgangskoden?**

/vad ɛɐ̯ ˈwiːfi ˈadgaŋsˌkoːðn̩/

N **Hva er wifi-passordet?**

/ˈhʋɑ ɛr ˈwiːfiˌpasʊɾdət/

제방 열쇠를 주세요. 방 번호는 ~입니다.

S   **Kan du ge mig min rumsnyckel?**

Rumsnummer är....

/kan dʉ: ɡe: mɪj mɪn ²rømsnʏk:el rømsnøm:er ɛr/

D   **Kan du give mig min værelsesnøgle?**

Værelsesnummer er....

/kæn du ˈɡi:və mi ˈmi:n ˈvɛ:ɡləsˌnøɡlə væ:ɡləsˌnʊmər ɛɡ/

N   **Kan du gi meg romnøkkelen min?**

Romnummer er....

/kɑn du ʎi meɪ ˈrʊmˌnœkəln mi:n rʊmˌnʊmər ær/

~시에 깨워줄 수 있으세요?

S   **Kan du väcka mig vid ...?**

/kan dʉ: ²vɛk:a mɪj vi:d .../

D   **Kunne du vække mig klokken ...?**

/ˈkʰʊnə ðu ˈvækə mi klo:ɡn̩ /

183

N   **Kan du vekke meg på ...?**

/kan du ˈʋɛkə meɪ po ˈ/

방에 소음이 심해요.

S   **Rummet är för bullrigt.**

/²rɵmːɛt ɛr fœr ²bɵlːrɪgt/

D   **Værelset er for larmende.**

/ˈvɛːʊ̯ləsˌd̥ɛʁ ɛʁ fɒʁ ˈlɑːʔmənə/

N   **Rommet er for bråkete.**

/ˈrʊmət æɾ føɾ ˈbroːkətə/

화장실이 막혔어요.

S   **Toaletten är igensatt.**

/²toːalɛtːɛn ɛr ɪ ˌjɛnːsat/

D   **Toilettet er tilstoppet.**

/ˈtʰɒjlətɛð ɛʁ ˈtʰilˌstɒbd̥/

N   **Toalettet er tett.** /ˈtoːɑˌlɛtət ær tɛt/

히터가 고장 났어요.

S   **Uppvärmningen fungerar inte.**

/²əpːvæɾmnɪŋɛn ²fəŋːɛrɑːr ɪntɛ/

D   **Radiatoren fungerer ikke.**

/ʁaˈdiʔaˌtoːʁən ˈfɔŋəʁɐ neɪ̯ ˈdi̥ːgər/

N   **Varmeovnen fungerer ikke.**

/ˈʋɑɾməˌoːʊnən ˈfɯŋərər ɪnˌkə/

방에 열쇠를 두고 나왔어요.

S   **Jag lämnade min nyckel i rummet.**

/jag ²lɛmnːaːdɛ mɪn ²nʏkːɛl ɪ ²rømːɛt/

D   **Jeg forlod min nøgle på værelset.**

/jai̯ ˈfoɡloð ˈmiːn ˈnøɪ̯lə po ˈvɛːʊləsˌde̜ʁ/

N   **Jeg forlot nøkkelen min i rommet.**

/jeɪ føɾˈluːt ˈnʏkələn miːn ɪ ˈɾʊmət/

방이 치워지지 않았어요.

S   **Rummet har inte städats.**

/²rɵmːɛt har ɪntɛ ²stɛːdats/

D   **Værelset er ikke renset.**

/ˈvɛːʊləsˌde̜ʁ ɛʁ ˈiˀkə ˈʁɛnˌsed/

N   **Rommet har ikke blitt renset.**

/ˈɾʊmət haɾ ˈɪkə bliˈt ˈɾɛnsət/

전기가 안 들어와요.

S   **Vi har inte el.** /viː har ɪntɛ ²eːl/

D   **Vi har ikke elektricitet.**

/vi ˈhɑː ˈiˀkə ˌeləkʁiˈsiːtɛɖ/

N   **Vi har ikke strøm.** /ʋiː hɑɾ ˈɪkə strœm/

불이 나갔어요.

S   **Ljusen är släckt.** /²jʉːsɛn ɛr slɛkːt/

D   **Lysene er slukket.** /ˈlysənə ɛʁ ˈslʊgəɖ/

N   **Lysene er slukket.** /ˈlyːsənə ɛɾ ˈslʉkət/

TV가 고장났어요.

S   **TV-apparaten fungerar inte.**

     /tiː ˌveː-²apːaratɛn ²føŋːɛrɑːr ɪntɛ/

D   **Fjernsyn virker ikke.**

     /ˈfjɛʁnsyːn ˈviɐ̯ɡ̊ɐ neɪ̯ ˈd̥iːɡə/

N   **TV virker ikke.** /teːˈʋiː ˈʋɪɾkəɾ ɪkə/

여분의 이불을 주실 수 있나요?

S   **Kan du ge mig ett extra täcke?**

/kan dʉ: ɡeː mɪj ɛt ²ɛk:stra ²tɛk:ɛ/

D   **Kan du give mig et ekstra tæppe?**

/kæn du ˈɡiːvə mi ˈɛdˀ ˈekstʁa ˈtʰɛpə/

N   **Kan du gi meg et ekstra pledd?**

/kɑn du ʎi meɪ ət ˈɛkstɾɑ ˈplɛd/

짐 좀 맡아 주시겠어요?

S   **Kan du behålla mitt bagage?**

/kan dʉ: bɛˈhɔlːa mɪt baˈɡaːʄɛ/

D   **Kunne du opbevare min bagage?**

/ˈkʰʊnə ðu ˈɔpbəˌvaːɤə mi ˈmiːn ˈbaːɡə/

N   **Kan du beholde bagasjen min?**

/kɑn du ˈbeːhɔɫdə baˈɡaʃən miːn /

체크아웃 하고자 합니다.

S **Jag skulle vilja checka ut.**

/jag ²ʃɯl:dɛ vɪl:ja ²ɕɛkka ʊt/

D **Jeg vil gerne checke ud.**

/jai̯ ˈvil ˈgæːʔnə ˈtʃɛkə ʊd/

N **Jeg vil gjerne sjekke ut.**

/jeɪ ʋiːl ˈjæːŋə ˈʂɛkə ɯt/

숙박, 건물 관련 단어

	스웨덴어	덴마크어	노르웨이어
건물	byggnad	bygning	bygning
게스트 하우스	gästhus	gæstehus	gjestehus
더블룸	dubbelrum	dobbeltværelse	dobbeltrom
룸 서비스	rum service	room service	rom service
방	rum	værelse	rom
싱글룸	enkelrum	enkeltværelse	enkeltrom
아파트	lägenhet	lejlighed	leilighet
엘리베이터	hiss	elevator	heis
집	hus	hus	hus
체크아웃	utcheckning	tjek ud	utsjekk
체크인	incheckning	tjek ind	innsjekk
층	våning	etage	etasje
프론트	reception	reception	resepsjon
호스텔	vandrarhem	vandrehjem	vandrerhjem
호텔	hotell	hotel	hotell

방 안, 사물 관련 단어

	스웨덴어	덴마크어	노르웨이어
거실	vardagsrum	stue	stue
거울	spegel	spejl	speil
냉장고	kylskåp	køleskab	kjøleskap
(헤어) 드라이어	hårtork	hårtørrer	hårføner
램프	lampa	lampe	lampe
문	dörr	dør	dør
발코니	balkong	balkon	balkong
베개	kudde	pude	pute
부엌	kök	køkken	kjøkken
비누	såpa	sæbe	såpe
사우나	bastu	sauna	badstue
샤워기	dusch	bruser	dusj
샴푸	schampo	shampoo	sjampo
세탁기	tvättmaskin	vaske maskine	vaskemaskin
소파	soffa	sofa	sofa
수건	handduk	håndklæde	håndkle
열쇠	nyckel	nøgle	nøkkel
오븐	ugn	ovn	ovn

욕실	badrum	badeværelse	baderom
욕조	badkar	badekar	badekar
의자	stol	stol	stol
이불	(dun)täcke	dyne	dyne
장롱	garderob	garderobe	garderobe
창문	fönster	vindue	vindu
치약	tandkräm	tandpasta	tannkrem
침대	säng	seng	seng
침실	sovrum	soveværelse	soverom
칫솔	tandborste	tandbørste	tannbørste
커튼	gardin	gardin	gardin
테이블	bord	bord	bord
텔레비전	tv	fjernsyn	fjernsyn
화장실	toalett	toilet	toalett

사무 용품 관련 단어

	스웨덴어	덴마크어	노르웨이어
가위	sax	saks	saks
볼펜	bollpenna	kuglepen	kulepenn
봉투	kuvert	kuvert	konvolutt
사전	ordbok	ordbog	ordbok
테이프	tejp	tape	tape
신문	tidning	avis	avis
펜	penna	pen	penn
잡지	tidskrift	tidsskrift	tidsskrift
접착제	lim	lim	lim
지우개	suddgummi	viskelæder	viskelær
종이	papper	papir	papir
책	bok	bog	bok
연필	blyertspenna	blyant	blyant

19

식 당

자리를 예약하고 싶습니다.

S **Jag skulle vilja beställa ett bord, tack.**

/jag ²ʃʉlːdɛ ²vɪlːja bɛˈstɛlːa ɛt bʊd̪ tak/

D **Jeg vil gerne bestille et bord, tak.**

/jai̯ˈvil ˈgæːnə bɛsˈtilə ˈad ˈboɐ̯d tɑɡ/

N **Jeg ønsker å bestille et bord, takk**

/jɛɪ ˈœnskəɾ oː bɛˈstɪlə ət ˈbuːɾ, tɑk/

몇 분이시죠?

S **För hur många?** /fœr hʉːr ²moːŋːa/

194

D   **Til hvor mange?** /til ˈvɔɣ̊ ˈmɑŋə/

N   **For hvor mange?** /fɔr ˈhvoːr ˈmɑŋə /

2명 자리 부탁해요.

S   **Ett bord för två, tack.**

      /ɛt bʊɖ̊ fœr tvoː tak/

D   **En bord til to, tak.** /ɛn boɣ̊d til to tɑg/

N   **Et bord for to, takk.**

      /ət ˈbuːr fɔr tuː, tɑk/

자리 있나요?

S   **Har ni några lediga bord?**

/har ni ²nɵgra ²leːdɪga bʊɖ̊/

D   **Har I nogle ledige borde?**

/ˈhɑː ˈiː ˈnoːlə ˈfʁiːə ˈboɣ̊də/

195

N   **Har du noen ledige bord?**

/hɑɾ dʉ ˈnœn ˈleːdɪə buːɾ/

좀 기다려 주시겠습니까?

S   **Kan du vänta ett ögonblick?**

/kan dʉ ²vɛnːta ɛt ²œgɔnːblɪk/

D   **Kunne du vente et øjeblik?**

/ˈkʰʊnə ðu ˈvɛnˀdə ˈad ˈøjəbl̩iːg/

N   **Kunne du vente et øyeblikk?**

/ˈkʉnə du ˈʋɛntə ət ˈœɣəbliːk/

얼마나 기다려야 하나요?

S   **Hur länge måste jag vänta?**

/hʉːr ²lɛŋːə ²mɔsːtɛ ja: ²vɛnːta/

D   **Hvor længe skal jeg vente?**

/ˈvɒg̊ ˈlɛŋə skɑl jai̯ ˈvɛntə/

N **Hvor lenge må jeg vente?**

/fɔɾ ˈlɛŋə moː jei̯ ˈʋɛntə/

여기 앉아도 돼요?

S **Kan jag sitta här?** /kan jag ²sɪt:a hɛr/

D **Kan jeg sidde her?** /kʰan jai̯ ˈsiðə hɛɐ̯/

N **Kan jeg sitte her?** /kɑn jei̯ ˈsɪtə hæɾ/

배가 고파요.

S **Jag är hungrig.** /jag ɛr ²hɵŋːrɪg/

D **Jeg er sulten.** /jai̯ ɛʁ ˈsultn̩/

B **Jeg er sulten.** /jei̯ æɾ ˈsʉltən/

목이 마릅니다.

S   **Jag är törstig.** /jag ɛr ²tœʂtɪg/

D   **Jeg er tørstig.** /jai̯ ɛʁ ˈtœɐ̯sdi̯/

N   **Jeg er tørst.** /jeɪ æɾ ˈtœʂt/

메뉴를 볼 수 있을까요?

S   **Kan jag se menyn?**

        /kan jag sɛ ²meːnʏn/

D   **Kan jeg se menuen?**

        /kʰan jai̯ ˈseː ˈmeːʔn̩/

N   **Kan jeg se menyen?**

        /kɑn jeɪ seɪ ˈmɛnʏən/

이것은 무슨 음식인가요?

S   **Vilken sorts mat är det här?**

        /²vɪlkɛn sɔʈs av mat ɛr dɛt hɛr/

D   **Hvilken slags mad er dette?**

        /ˈhvilʔən ˈslaks ˈmæːð ɛʁ ˈdɛsə/

N   **Hva slags mat er dette?**

        /ʋa slaks mat æɾ ˈdɪsə/

주문하시겠습니까?

S   **Är ni redo att beställa?**

        /ɛr ni ²reːdo at bɛˈstɛlːa/

D   **Er I klar til at bestille?**

        /ɛɰ ˈiː ˈklɑː ˈteʔl̩ ɑd bɛsˈtilə/

N   **Er du klar for å bestille?**

        /æɾ dʉ klɑːɾ føɾ oː bɛˈstɪlə/

아직 결정을 못했어요.

S   **Jag har inte bestämt mig än.**

/jag har ɪntɛ bɛˈstɛmt mɪj ɛn/

D   **Jeg har ikke besluttet det endnu.**

/jaɪ̯ ˈhɑː ˈnɪɡə pəˈsluðˀəd ˈd̥ɛd ˈɛnˀnu/

N   **Jeg har ikke bestemt meg ennå.**

/jeɪ hɑɾ ɪkə bɛˈstɛmt meɪ ˈɛnɔ/

무엇을 추천하시나요?

S   **Vad rekommenderar ni?**

/vad rɛkɔmɛnːdɛrar ni/

D   **Hvad anbefaler du?**

/ˈvɑð ˈanbəˌfæːlə ˈduː/

N   **Hva anbefaler du?**

/ʋɑ ˌanˈbeːfɑlər du/

이 음식에서 ~를 빼주실 수 있으세요?

S **Kan jag få detta utan ...?**

/kan jag foː ²dɛtːa ʊtan .../

D **Kan jeg få dette uden ...?**

/kʰan jai̯ ˈfoː ˈdɛsə ˈudn̩ .../

N **Kan jeg få dette uten ...?**

/kɑn jeɪ foː ˈdɪsə ˈʉtən/

돼지 고기를 못 먹어요.

S **Jag kan inte äta fläskkött.**

/jag kan ɪntɛ ²ɛːta ²flɛskœːt/

D **Jeg kan ikke spise svinekød.**

/jai̯ ˈkʰan ˈneɪ̯gə ˈspiːsə ˈsviːnə‿kʰøð/

N **Jeg kan ikke spise svinekjøtt.**

/jeɪ kɑn ɪkə ˈspiːsə ˈsʋiːnə‿çøt/

이것은 제가 시킨 것이 아니에요.

S **Detta är inte vad jag beställde.**

/²dɛt:a ɛr ɪntɛ vad jag bɛˈstɛl:dɛ/

D **Dette er ikke det jeg bestilte.**

/ˈdɛsə ɛɐ̯ ˈneɪ̯ɡə d̥ɛd jai̯ bɛsˈtildə/

N **Dette er ikke hva jeg bestilte.**

/ˈdɛtə æɾ ɪkə ˈdɪsə jɛɪ ˈbɛstɪltə/

맛있게 드세요.

S **Smaklig måltid!** /²smaːklɪg ²mɔlːtiːd/

D **Nyd dit måltid!** /nyð d̥iˀd ˈmɒl̩ti/

N **Nyt måltidet ditt!** /nyt ˈmɔltɪdət dɪt/

이거 맛있네요.

S **Detta smakar bra.**

/²dɛt:a ²smɑːkar bra/

D **Dette smager godt.**

/ˈdɛsə ˈsmɑːɐ̯ ˈɡʌd/

N **Dette smaker godt.**

/ˈdɛtə ˈsmɑːkəɾ ɡʊt/

계산서를 주세요.

S **Notan tack.** /²nʊˌtan tak/

D **Regningen tak.** /ˈʁɑjnɪŋən tɑɡ/

N **Regningen takk.** /ˈɾeːnɪŋɡən tɑk/

식당 관련 단어

	스웨덴어	덴마크어	노르웨이어
계산서	nota	regning	regning
나이프	kniv	kniv	kniv
냅킨	servett	serviet	serviett
레모네이드	citronsaft	limonade	limonade
맥주	öl	øl	øl
메뉴	meny	menu	meny
메인 코스	huvudrätt	hovedret	hovedrett
물	vatten	vand	vann
바비큐	grill	grill	grill
버터	smör	smør	smør
빵	bröd	brød	brød
샐러드	sallad	salat	salat
설탕	socker	sukker	sukker
소금	salt	salt	salt
소스	sås	sovs	saus
수프	soppa	suppe	suppe
스테이크	biff	bøf	biff
스푼	sked	ske	skje

아이스크림	glass	is	iskrem
에피타이저	förrätt	forret	forrett
오믈렛	omelett	omelet	omelett
와인	vin	vin	vin
요구르트	yoghurt	yoghurt	yoghurt
우유	mjölk	mælk	melk
웨이터	servitör	tjener	servitør
으깬감자	potatismos	kartoffelmos	potetmos
잼	sylt	syltetøj	syltetøy
주스	juice	juice	juice
차	te	te	te
초콜릿	choklad	chokolade	sjokolade
커피	kaffe	kaffe	kaffe
컵	kopp	kop	kopp
케이크	tårta, kaka	kage	kake
팬케이크	pannkaka	pandekage	pannekake
포크	gaffel	gaffel	gaffel
피자	pizza	pizza	pizza
후식	efterrätt	dessert	dessert
후추	peppar	peber	pepper

식품 관련 단어

	스웨덴어	덴마크어	노르웨이어
게	krabba	krabbe	krabbe
감자	potatis	kartoffel	potet
고기	kött	kød	kjøtt
과일	frukt	frugt	frukt
달걀	ägg	æg	egg
닭고기	kycklingkött	kyllingekød	kyllingkjøtt
당근	morot	gulerod	gulrot
대구	torsk	torsk	torsk
돼지고기	fläskkött	svinekød	svinekjøtt
딸기	jordgubbe	jordbær	jordbær
레몬	citron	citron	sitron
마늘	vitlök	hvidløg	hvitløk
멜론	melon	melon	melon
바나나	banan	banan	banan
배	päron	pære	pære
버섯	svamp	svamp	sopp
복숭아	persika	fersken	fersken
블루 베리	blåbär	blåbær	blåbær

사과	äpple	æble	eple
새우	räka	reje	reke
생선	fisk	fisk	fisk
소고기	nötkött	oksekød	storfekjøtt
소세지	korv	pølse	pølse
송어	öring	ørred	ørret
수박	vattenmelon	vandmelon	vannmelon
순록고기	renkött	rensdyrkød	reinsdyrkjøtt
쌀	ris	ris	ris
양고기	lammkött	lammekød	lammekjøtt
양배추	kål	kål	kål
양파	lök	løg	løk
연어	lax	laks	laks
오렌지	apelsin	appelsin	appelsin
오리고기	ankkött	andekød	andekjøtt
오이	gurka	agurk	agurk
올리브	oliver	oliven	oliven
완두콩	ärt	ært	ert
참치	tonfisk	tun	tunfisk
채소	grönsaker	grøntsager	grønnsaker
청어	strömming, sill	sild	sild

치즈	ost	ost	ost
콩	böna	bønne	bønne
토마토	tomat	tomat	tomat
파인애플	ananas	ananas	ananas
포도	druva	drue	drue
햄	skinka	skinke	skinke

20

병 원

상태가 어떠세요?

S **Vad har du för symptom?**

/vad har dʉ: føːr ²symːtɔm/

D **Hvilke symptomer har du?**

/ˈhvilə ˈsymptumɐ haʁ du/

N **Hva er symptomene dine?**

/ ˈʋɑ ɛr ˈsympˌtoːmənə ˈdiːnə/

아파요.

S **Det gör ont.** /dɛt gøːr ʊnt/

D **Det gør ondt.** /d̥ɛd ˈgœɐ̯ ˈont/

N **Det gjør vondt.** / dɛt gjøːr ˈʋɔnt/

209

다쳤어요.

S   **Jag är sårad.** /jag ɛr ²soːrad/

D   **Jeg er såret.** /jai̯ ˈɛɐ̯ ˈsɔːʁəd̥/

N   **Jeg er såret.** / jeɪ æɾ ˈsoːʁət/

몸이 안 좋아요.

S   **Jag känner mig sjuk.**

        /jag ²ʃɛnːer maɪ sjʉːk/

D   **Jeg føler mig dårlig.**

        /jai̯ ˈføːlɐ ˈmeː dɒ̥lɪ/

N   **Jeg føler meg syk.** / jeɪ ˈføːlər meɪ syk/

기분이 좋지 않습니다.

S   **Jag mår inte bra.** /jag mɔːr ɪntɛ braː/

D   **Jeg har det ikke så godt.**

/jai̯ ˈhɑː ˈd̥æd ˈnɪdə ˈsoː ˈgʌd/

N   **Jeg føler meg ikke bra.**

/ jeɪ ˈføːlər meɪ ˈɪkə bɾɑː/

독감에 걸렸어요.

S   **Jag har influensan.**

/jag har ²ɪnfləˌɛnsan/

D   **Jeg har influenza.** /jai̯ ˈhɑː ˌinfluˈɛnsə/

N   **Jeg har influensa.** / jeɪ hɑɾ ɪnˈflʉːɛnsɑ/

감기에 걸렸어요.

S   **Jag har en förkylning.**

/ jɑːg hɑːr ɛn ²fœrˌɕyːlnɪŋ/

D   **Jeg har en forkølelse.**

/ jɛj ˈhɑː ˈæn ˈfʊʁ ˌkø:ləlsə/

N   **Jeg har en forkjølelse.**

/ jæi hɑr ɛn ²fɔrk ˌjø:ləlsə/

피곤해요.

S   **Jag är trött.** /jag ɛr trœt:/

D   **Jeg er træt.** /jai̯ ˈɛɕ ˈtʁɛd̥/

N   **Jeg er trøtt.** / jeɪ æɾ tʁœt/

~에 알러지가 있어요.

S   **Jag är allergisk mot ....**

/jag ɛr alɛr:ˈɡɪsk mɔt .../

D   **Jeg er allergisk over for ....**

/jai̯ ˈɛɕ ˌaləǧi ˈo:vɐ foɕ .../

N   **Jeg er allergisk mot ....**

/ jeɪ æɾ ɑˈleɾɡɪsk mu:t/

212

~가 아파요.

S   **Jag har ont i ...** /jag har ʊnt i/

D   **Jeg har ondt i ...** /jai̯ ˈɑː ˈont i /

N   **Jeg har vondt i ...** / jeɪ hɑɾ ˈvɔnt ɪ/

감기/콧물/열/오한이 있어요.

S   **Jag har hosta / rinnande näsa**

       / feber / frossa.

       /jag har ²hɔsta / ²rɪnːandɛ ²nɛːsa / ²feːbɛr / ²frɔːsa/

D   **Jeg har hoste / løbende næse**

       / feber / kulderystelser.

       /jai̯ ˈhɑː ˈhʊsdə / ˈløːbəndə ˈnɛːsə / ˈfeːbɐ / ˈkuləˌʁysdəlsər/

N   **Jeg har hoste / rennende nese**

       / feber / frysninger.

       / jeɪ hɑɾ ˈhɔstə / ˈɾenˌnɛndə ˈneːsə / ˈfeːbər / ˈfʁysˌnɪŋər/

213

설사해요.

S   **Jag har diarré.** /jag har dɪaˈreː/

D   **Jeg har diarré.** /jai̯ ˈhɑː ˈdiɑːʁɛ/

N   **Jeg har diaré.** / jeɪ haɾ ˈdiɑːreː/

두통/복통/치통이 있어요.

S   **Jag har huvudvärk / magvärk**
      / tandvärk.

      /jag har ²hʉːvədvɛrːk / ²mɑːgvɛrːk / ²tandvɛrːk/

D   **Jeg har hovedpine / mavepine**
      / tandpine.

      /jai̯ ˈhɑː ˈhoːvəd̥ˌpinə / ˈmɑːvəˌpinə / ˈtanˌpinə/

N   **Jeg har hodepine / magesmerter**
      / tannpine.

      / jeɪ haɾ ˈhuːdəˌpɪnə / ˈmɑːgəsˌmæʁtəɾ /
      ˈtanˌpɪnə/

목이 부었어요.

S   **Jag har ont i halsen.**

       /jag har ʊnt i ²halːsɛn/

D   **Jeg har ondt i halsen.**

       /jai̯ ˈɑː ˈont i ˈhɑlˀsən/

N   **Jeg har vondt i halsen.**

       / jæi hɑr vʊnt i ˈhɑlsən/

어지러워요.

S   **Jag känner mig yr.** /jag ²ʃɛnːɛr mai yːr/

D   **Jeg føler mig svimmel.**

       /jai̯ ˈføːlɐ ˈmeː ˈsvɪmˀəl/

N   **Jeg føler meg svimmel.**

       / jeɪ ˈføːlɾ meɪ ˈsvɪməl/

코가 막혔어요.

S   **Jag är täppt i näsan.**

/jag ɛr ²tɛpt i ²nɛːsan/

D   **Jeg er tilstoppet.** /jai̯ ˈɛɡ̊ ˈtɪlˌstɔb̥ət/

N   **Jeg er tett i nesen.**

/ jɛi ɛr tɛt i ²neːsən/

구급차를 불러주세요!

S   **Ring en ambulans!** /rɪŋ ɛn ²ambɵˌlanːs/

D   **Ring efter en ambulance!**

/ʁeŋ ˈæftɐ ˈen amˈbʊˌlansə/

N   **Ring en ambulanse!**

/ ˈɾɪŋ ən ˈambʉːˌlansə/

신체 관련 단어

	스웨덴어	덴마크어	노르웨이어
가슴	bröst	bryst	bryst
귀	öra	øre	øre
눈	öga	øje	øye
다리	ben	ben	ben
등	rygg	ryg	rygg
머리	huvud	hoved	hode
머리카락	hår	hår	hår
목	hals / nacke	hals / nakke	hals/nakke
무릎	knä	knæ	kne
발	fot	fod	fot
발가락	tår	tæer	tær
발목	vrist	ankel	ankel
배	mage	mave	mage
배꼽	navel	navle	navle
뺨	kind	kind	kinn
손	hand	hånd	hånd
손가락	finger	finger	finger
손목	handled	håndled	håndledd

신체	kropp	krop	kropp
어깨	skuldra	skulder	skulder
얼굴	ansikte	ansigt	ansikt
이마	panna	pande	panne
입	mun	mund	munn
치아	tänder	tænder	tenner
코	näsa	næse	nese
턱	haka	hage	hake
팔	ärm	arm	arm
팔꿈치	armbåge	albue	albue
피부	hud	hud	hud
허벅지	lår	lår	lår

21

긴 급

도와줘요!

S **Hjälp!** /jɛlp/

D **Hjælp!** / hjælp/

N **Hjelp!** / hjɛlp/

조심해요!

S **Var försiktig!** /var ²fœʂɪgtɪg/

D **Vær Forsigtig!** / væɐ̯ ˈfɒʁsigd̥i/

N **Vær Forsiktig!** / væːr ˈfɔʂiçtɪg/

불이야!

S   **Brand!** /brand/

D   **Brand!** / bʁɑn/

N   **Brann!** / brɑn/

멈춰요!

S   **Stopp!** /stɔp/

D   **Stop!** / stɔp/

N   **Stopp!** / stɔp/

빨리요!

S   **Snabbt!** /ˈsnabt/

D   **Hurtigt!** / ˈhʊʁdi̯/

N   **Raskt!** /ˈrɑskt/

경찰!

S   **Polis!** /²puːlɪs/

D   **Politi!** / poˈliˀti/

N   **Politiet!** / puliˈtiːət/

~을 잊어버렸어요.

S   **Jag glömde ...** /jag ²glœmːdɛ/

D   **Jeg glemte ...** / jai̯ ˈglɛmtə/

N   **Jeg glemte ...** / jei ˈglɛmtə/

~을 잃어버렸어요.

S   **Jag har tappat min ...**

         /jag har ²tapːat maɪn /

D   **Jeg har mistet min ...**

/ jai̯ ˈhɑː ˈmisdə mɪn /

N   **Jeg har mistet min ...**

/ jei hɑr ˈmɪstət mɪn /

내 ~을 찾았나요?

S   **Hittade du min ...?** /²hɪtːadɛ dʉː maɪn /

D   **Fandt du min ...?** / ˈfɑnt du mɪn /

N   **Fant du min ...?** / fɑnt du mɪn /

내 ~가 도둑 맞았아요.

S   **Min ... har blivit stulen.**

/maɪn ... har blɪvɪt ²stʉːlɛn/

D   **Min ... er blevet stjålet.**

/ mɪn ... ɛɐ̯ ˈbleːvəd ˈʃd̥oːləd/

N   **Min... har blitt stjålet.**

/ mɪn hɑr blɪt ˈʃtoːlət/

222

경찰을 불러주세요.

S   **Ring polisen!** /rɪŋ ²puːlɪsɛn/

D   **Ring efter politiet!** / ʁeŋ ˈæftɐ poˈliˀti/

N   **Ring politiet!** / rɪŋ puliˈtiːət/

나는 무죄에요.

S   **Jag är oskyldig.** /jag ɛr ²ʊˌɧʏldɪg/

D   **Jeg er uskyldig.** / jai̯ ˈɛɐ̯ ˌusˈkylði/

N   **Jeg er uskyldig.** / jei ɛr ˈʉskyːldɪ/

변호사를 원합니다.

S   **Jag vill ha en advokat.**

        /jag vɪl ha ɛn ²adːvoːkat/

D   **Jeg vil have en advokat.**

/ jai̯ ˈvil ˈhaːvə ˈen ˌædvoˌg̊aɖ/

N **Jeg vil ha advokat.**

/ jei ʋɪl ha ˈɑdvʊkɑt/

단 어

	스웨덴어	덴마크어	노르웨이어
가디건	kofta	cardigan	kardigan
가슴	bröst	bryst	bryst
가위	sax	saks	saks
가을	höst	efterår	høst
가이드북	guidebok	guidebog	guidebok
가족	familj	familie	familie
갈색	brun	brun	brun
감자	potatis	kartoffel	potet
거스름돈	växel	byttepenge	veksel
거실	vardagsrum	stue	stue
거울	spegel	spejl	speil
건물	byggnad	bygning	bygning
검은색	svart	sort	svart
게	krabba	krabbe	krabbe
게스트하우스	gästhus	gæstehus	gjestehus
겨울	vinter	vinter	vinter
경찰서	polisstation	politistation	politistasjon

225

계산서	nota	regning	regning
계좌	konto	konto	konto
고기	kött	kød	kjøtt
고모/이모	faster/moster	tante	tante
공원	park	park	park
공항	flygplats	lufthavn	flyplass
과일	frukt	frugt	frukt
관광	sightseeing	sightseeing	sightseeing
관광 안내소	turistkontor	turistkontor	turistkontor
관광객	turist	turist	turist
교통	trafik	trafik	trafikk
교통 신호등	trafikljus	trafiklys	trafikklys
교회	kyrka	kirke	kirke
구름	moln	sky	sky
국내선	inrikesflyg	indenrigs flyvning	innenlands flygning
국내우편	inhemsk post	indenlandsk post	innenriks post
국적	nationalitet	nationalitet	nasjonalitet
국제선	internationell flygning	international flyvning	internasjonal flyging
국제우편	internationell post	international post	internasjonal post
궁전	palats	palads	palass
귀	öra	øre	øre

226

귀걸이	örhänge	øreringe	ørepynt
그	han	han	han
그녀	hon	hun	hun
그들	de	de	de
그저께	I förrgår	I forgårs	I forgårs
극장	teater	teater	teater
금요일	fredag	Fredag	fredag
기내 수하물	handbagage	håndbagage	håndbagasje
기념품점	presentbutik	gavebutik	gavebutikk
기온	temperatur	temperatur	temperatur
기차	tåg	tog	tog
기차역	tågstation	togstation	togstasjon
기후	klimat	klima	klima
나	jag	jeg	jeg
나이트 클럽	nattklubb	natklub	nattklubb
나이프	kniv	kniv	kniv
날	dag	dag	dag
날씨	väder	vejr	vær
남자	man	mand	mann
남자 친구	pojkvän	kæreste	kjæreste
남쪽	söder	syd	sør
남편	make	ægtemand	ektemann

227

내일	I morgon	I morgen	I morgen
냅킨	servett	serviet	serviett
냉장고	kylskåp	køleskab	kjøleskap
네덜란드	Holland	Holland	Holland
네덜란드어	holländska	hollandsk	nederlandsk
넥타이	slips	slips	slips
년	år	år	år
노란색	gul	gul	gul
노르웨이	Norge	Norge	Norge
노르웨이어	norska	norsk	norsk
녹색	grön	grøn	grønn
뇌우	åskväder	tordenvejr	tordenvær
누가	vem	hvem	hvem
눈	öga	øje	øye
눈	snö	sne	snø
눈보라	snöstorm	snestorm	snøstorm
다리	ben	ben	ben
다리	bro	bro	bro
달	månad	måned	måned
달걀	ägg	æg	egg
달러	dollar	dollars	dollar

228

닭고기	kycklingkött	kyllingekød	kyllingkjøtt
당근	morot	gulerod	gulrot
당신	du	du (De)	du (De)
당신들	ni	I (De)	dere (De)
대구	torsk	torsk	torsk
대학	universitet	universitet	universitet
더블룸	dubbelrum	dobbeltværelse	dobbeltrom
데오드란트	deodorant	deodorant	deodorant
덴마크	Danmark	Danmark	Danmark
덴마크어	danska	dansk	dansk
도로	väg	vej	vei
도서관	bibliotek	bibliotek	bibliotek
독일	Tyskland	Tyskland	Tyskland
독일어	tyska	tysk	tysk
돈	pengar	penge	penger
동료	kollega	kollega	kollega
동물원	djurpark	dyrepark	dyrehage
동전	mynt	mønter	mynter
동전 지갑	myntbörs	pengepung	pengepung
동쪽	öster	øst	øst
돼지고기	fläskkött	svinekød	svinekjøtt

229

드라이어	hårtork	hårtørrer	hårføner
등	rygg	ryg	rygg
딸	dotter	datter	datter
딸기	jordgubbe	jordbær	jordbær
라디오	radio	radio	radio
램프	lampa	lampe	lampe
랩탑	bärbar dator	bærbar computer	bærbar datamaskin
레모네이드	citronsaft	limonade	limonade
레몬	citron	citron	sitron
레스토랑	restaurang	restaurant	restaurant
룸 서비스	rum service	room service	rom service
립스틱	läppstift	læbestift	leppestift
마늘	vitlök	hvidløg	hvitløk
마사지	massage	massage	massasje
매니큐어 액	nagellack	neglelak	neglelakk
매표소	biljettkontor	billetkontor	billettkontor
맥주	öl	øl	øl
머리	huvud	hoved	hode
머리카락	hår	hår	hår
메뉴	meny	menu	meny
메모리카드	minneskort	hukommelses kort	minnekort

메인 코스	huvudrätt	hovedret	hovedrett
메일 주소	e-postadress	e-mailadresse	e-post adresse
멜론	melon	melon	melon
면세점	taxfree butik	toldfri butik	tollfri butikk
모레	I övermorgon	overmorgen	I overmorgen
모자	hatt	hat	hatt
목	nacke	nakke	nakke
목	hals	hals	hals
목걸이	halsband	halskæde	halskjede
목요일	torsdag	torsdag	torsdag
무릎	knä	knæ	kne
무엇을	vad	hvad	hva
무지개	regnbåge	regnbue	regnbue
문	dörr	dør	dør
문자메시지	text meddelande	tekstbesked	tekstmelding
물	vatten	vand	vann
미국	Amerika	Amerika	Amerika
미스	fröken	fröken	fröken
미스터	herr	herr	herr
미용실	skönhets salong	skønheds salon	skjønnhets salong
바	bar	bar	bar

바나나	banan	banan	banan
바람	vind	vind	vind
바비큐	grill	grill	grill
바지	byxor	bukser	bukser
박물관	museum	museum	museum
반사체	reflex	refleks	refleks
발	fot	fod	fot
발가락	tår	tæer	tær
발목	vrist	ankel	ankel
발신인	avsändare	afsender	avsender
발코니	balkong	balkon	balkong
방	rum	værelse	rom
배	päron	pære	pære
배	mage	mave	mage
배꼽	navel	navle	navle
배터리	batteri	batteri	batteri
백화점	varuhus	varehus	varehus
버섯	svamp	svamp	sopp
버스	buss	bus	buss
버스 운전사	busschaufför	buschauffør	bussjåfør
버스 정류장	busshållplats	busstoppested	bussholdeplass
버터	smör	smør	smør

232

번개	blixt	lyn	lyn
베개	kudde	pude	pute
벨트	bälte	bælte	belte
병원	sjukhus	hospital	sykehus
보도	trottoar	fortov	fortau
보라색	lila	lilla	lilla
복숭아	persika	fersken	fersken
볼펜	bollpenna	kuglepen	kulepenn
봄	vår	forår	vår
봉투	kuvert	konvolutter	konvolutt
부모	föräldrar	forælder	forelder
부부	par	par	par
부엌	kök	køkken	kjøkken
북쪽	norr	nord	nord
분	minut	minut	minutt
분실물 사무소	förlorat och hittat	tabt og fundet	mistet og funnet
분홍색	rosa	pink	rosa
블라우스	blus	bluse	bluse
블루 베리	blåbär	blåbær	blåbær
비	regn	regn	regn
비누	såpa	sæbe	såpe

233

비밀 번호	lösenord	adgangskode	passord
비행기	flygplan	fly	fly
비행기 표	flygbiljett	flybillet	flybillett
빗	kam	kam	kam
빨강색	röd	rød	rød
빵	bröd	brød	brød
빵집	bageri	bageri	bakeri
뺨	kind	kind	kinn
사과	äpple	æble	eple
사람	person	person	person
사우나	bastu	sauna	badstue
사이즈	storlek	størrelse	størrelse
사전	ordbok	ordbog	ordbok
사증, 비자	visum	visum	visum
사진	foto	foto	bilde
사촌	kusin	fætter	fetter
삼촌/외삼촌	farbror /morbror	onkel	onkel
상점	affär	butik	butikk
새우	räka	reje	reke
샐러드	sallad	salat	salat
생선	fisk	fisk	fisk

샤워기	dusch	bruser	dusj
샴푸	schampo	shampoo	sjampo
서리	frost	frost	frost
서점	bokhandel	boghandel	bokhandel
서쪽	väster	vest	vest
선크림	solkräm	solcreme	solkrem
선글라스	solglasögon	solbriller	solbriller
선물	gåva	gave	gave
설탕	socker	sukker	sukker
성	slott	slot	slott
성당	katedral	katedral	katedral
세관	tull	told	toll
세금	skatt	skat	skatt
세일	rea	salg	salg
세탁기	tvättmaskin	vaskemaskine	vaskemaskin
셔츠	skjorta	skjorte	skjorte
소고기	nötkött	oksekød	storfekjøtt
소금	salt	salt	salt
소녀	flicka	pige	jente
소년	pojke	dreng	gutt
소방서	brandstation	brandstation	brannstasjon
소세지	korv	pølse	pølse

소스	sås	sovs	saus
소파	soffa	sofa	sofa
소포	paket	pakke	pakke
속옷	underkläder	undertøj	undertøy
손	hand	hånd	hånd
손가락	finger	finger	finger
손님	kund	kunde	kunde
손목	handled	håndled	håndledd
손목시계	armbandsur	armbåndsur	armbåndsur
손수건	näsduk	lomme tørklæde	lommetørkle
손주	barnbarn	barnebarn	barnebarn
송어	öring	ørred	ørret
쇼윈도우	skyltfönster	butiksvindue	butikkvindu
쇼핑 거리	shoppinggata	shoppinggade	handlegate
쇼핑 센터	köpcentrum	indkøbscenter	kjøpesenter
수건	handduk	håndklæde	håndkle
수박	vattenmelon	vandmelon	vannmelon
수신인	mottagare	modtager	mottaker
수영복	baddräkt	badedragt	badedrakt
수영장	simbassäng	svømmepøl	svømme basseng
수요일	onsdag	onsdag	onsdag

수프	soppa	suppe	suppe
순록고기	renkött	rensdyrkød	reinsdyrkjøtt
슈퍼마켓	stormarknad	supermarked	supermarked
스웨덴	Sverige	Sverige	Sverige
스웨덴어	svenska	svensk	svensk
스카프	sjal	sjal	skjerf
스커트	kjol	nederdel	skjørt
스타킹	strumpbyxor	strømpe bukser	strømpe bukser
스탑 오버	reseuppehåll	mellem landing	stoppested
스테이크	biff	bøf	biff
스페인	Spanien	Spanien	Spania
스페인어	spanska	spansk	spansk
스푼	sked	ske	skje
습도	fuktighet	fugtighed	fuktighet
승객	passagerare	passager	passasjer
시간	tid	tid	tid
시간표	tidtabell	tidstabel	rutetabell
시청	rådhus	rådhus	rådhus
신문	tidning	avis	avis
신발	skor	sko	sko
신발가게	skoaffär	skobutik	skobutikk

237

신체	kropp	krop	kropp
신혼 여행	smekmånad	bryllupsrejse	bryllupsreise
심카드	simkort	SIM-kort	SIM-kort
싱글룸	enkelrum	enkeltværelse	enkeltrom
쌀	ris	ris	ris
쌍둥이	tvilling	tvilling	tvilling
아기	spädbarn	spædbarn	spedbarn
아내	fru	kone	kone
아들	son	søn	sønn
아버지	far	far	far
아이	barn	barn	barn
아이라이너	eyeliner	eyeliner	eyeliner
아이섀도	ögonskugga	øjenskygge	øyenskygge
아이스크림	glass	is	iskrem
아파트	lägenhet	lejlighed	leilighet
안개	dimma	tåge	tåke
안경	glasögon	briller	briller
안내 책자	broschyr	brochure	brosjyre
안전 벨트	säkerhetsbälte	sikkerhedssele	sikkerhetsbelte
약국	apotek	apotek	apotek
양고기	lammkött	lammekød	lammekjøtt

238

양말	strumpor	sokker	sokker
양배추	kål	kål	kål
양파	lök	løg	løk
어깨	skuldra	skulder	skulder
어디서	var	hvor	hvor
어떻게	hur	hvordan	hvordan
어른	vuxen	voksen	voksen
어머니	mor	mor	mor
어제	Igår	I går	I går
언제	när	hvornår	når
얼굴	ansikte	ansigt	ansikt
에피타이저	förrätt	forret	forrett
엘리베이터	hiss	elevator	heis
여권	pass	pas	pass
여름	sommar	sommer	sommer
여자	kvinna	kvinde	kvinne
여자 친구	flickvän	kæreste	kjæreste
여행	resa	rejse	reise
여행자 수표	resecheckar	rejsechecks	reisesjekker
연어	lax	laks	laks
연필	blyertspenna	blyant	blyant
열쇠	nyckel	nøgle	nøkkel

엽서	vykort	postkort	postkort
영국	England	England	England
영수증	kvitto	kvittering	kvittering
영어	engelska	engelsk	engelsk
영업 시간	öppettid	åbningstid	åpningstid
영화관	bio	biograf	kino
예금	insättning	indbetaling	innskudd
예약	bokning	bestilling	bestilling
오늘	Idag	I dag	I dag
오렌지	apelsin	appelsin	appelsin
오리고기	ankkött	andekød	andekjøtt
오믈렛	omelett	omelet	omelett
오븐	ugn	ovn	ovn
오이	gurka	agurk	agurk
온도	grad	grad	grad
올리브	oliver	oliven	oliven
옷가게	klädbutik	tøjbutik	klesbutikk
와인	vin	vin	vin
완두콩	ärt	ært	ert
왕복표	returbiljett	returbillet	returbillett
왜	varför	hvorfor	hvorfor
외국	utland	udland	utland

요구르트	yoghurt	yoghurt	yoghurt
욕실	badrum	badeværelse	baderom
욕조	badkar	badekar	badekar
우리	vi	vi	vi
우비	regnkappa	regnfrakke	regnjakke
우유	mjölk	mælk	melk
우체국	postkontor	posthus	postkontor
우편 번호	postnummer	postnummer	postnummer
우편 요금	porto	porto	porto
우편함	postlådan	postkasse	postkasse
우표	frimärke	frimærke	frimerke
월요일	måndag	mandag	mandag
웨이터	servitör	tjener	servitør
웹 사이트	webbsida	hjemmeside	nettsted
위탁 수하물	incheckat bagage	indchecket bagage	innsjekket bagasje
유로	euro	euro	euro
유원지	nöjespark	forlystelses park	fornøyelses park
으깬감자	potatismos	kartoffelmos	potetmos
은행	bank	bank	bank
의자	stol	stol	stol
이마	panna	pande	panne

이메일	e-post	e-mail	e-post
이불	(dun)täcke	dyne	dyne
이어폰	hörlur	hoved telefoner	hodetelefoner
이웃	granne	nabo	nabo
이자	ränta	rente	rente
이탈리아	Italien	Italien	Italia
이탈리아어	italienska	italiensk	italiensk
인터넷	internet	internettet	internett
일기 예보	väderprognos	vejrudsigt	værmelding
일본	Japan	Japan	Japan
일본어	japanska	japansk	japansk
일요일	söndag	søndag	søndag
일정표	resväg	rejseplan	reiserute
입	mun	mund	munn
입구	ingång	indgang	inngang
입장권	biljett	billet	billett
입장료	pris	pris	pris
자동차	bil	bil	bil
자매	syster	søster	søster
자유 시간	fritid	fritid	fritid
자전거	cykel	cykel	sykkel

잡지	tidskrift	tidsskrift	tidsskrift
장갑	handskar	handsker	hansker
장롱	garderob	garderobe	garderobe
재킷	jacka	jakke	jakke
잼	sylt	syltetøj	syltetøy
전기	elektricitet	elektricitet	elektrisitet
전화	telefon	telefon	telefon
점원	affärsbiträde	butiksassistent	ekspeditør
접착제	lim	lim	lim
정류장	hållplats	stoppested	holdeplass
정육점	slakteri	slagter	slaktere
종이	papper	papir	papir
주	vecka	uge	uke
주말	helgen	weekend	helg
주소	adress	adresse	adresse
주스	juice	Juice	juice
주황색	orange	orange	oransje
중국	Kina	Kina	Kina
중국어	kinesiska	kinesisk	kinesisk
지갑	plånbok	pung	lommebok
지도	karta	kort	kart
지우개	suddgummi	viskelæder	viskelær

지하철	tunnelbana	metro	T-bane
진눈깨비	slud	slud	sludd
집	hus	hus	hus
차	te	te	te
차례, 줄	kö	kø	kø
참치	tonfisk	tun	tunfisk
창	fönster	vindue	vindu
채소	grönsaker	grøntsager	grønnsaker
책	bok	bog	bok
천둥	åskmuller	torden	torden
철도	järnväg	jernbane	jernbane
청바지	jeans	jeans	jeans
청어	sill	sild	sild
체크아웃	utcheckning	tjek ud	utsjekking
체크인	incheckning	tjek ind	innsjekking
초	sekund	sekund	sekund
초콜릿	choklad	chokolade	sjokolade
출구	utgång	udgang	utgang
출장	affärsresa	forretnings rejse	forretnings reise
충전기	laddare	oplader	lader
층	våning	etage	etasje

치아	tänder	tænder	tenner
치약	tandkräm	tandpasta	tannkrem
치즈	ost	ost	ost
친척	släkting	slægtning	slektning
침대	säng	seng	seng
침실	sovrum	soveværelse	soverom
칫솔	tandborste	tandbørste	tannbørste
카드	kontokort	kreditkort	kredittkort
카메라	kamera	kamera	kamera
커튼	gardin	gardin	gardin
커피	kaffe	kaffe	kaffe
컴퓨터	dator	computer	datamaskin
컵	kopp	kop	kopp
케이크	kaka	kage	kake
코	näsa	næse	nese
코트	kappa	frakker	frakk
콘센트	uttag	stikkontakt	stikkontakt
콩	böna	bønne	bønne
키오스크	kiosk	kiosk	kiosk
택시	taxi	taxa	drosje
턱	haka	hage	hake
테이블	bord	bord	bord

테이프	tejp	tape	tape
텔레비전	tv	fjernsyn	fjernsyn
토마토	tomat	tomat	tomat
토요일	lördag	lørdag	lørdag
트램	spårvagn	sporvogn	trikk
파랑색	blå	blå	blå
파인애플	ananas	ananas	ananas
팔	ärm	arm	arm
팔꿈치	armbåge	albue	albue
팔찌	armband	armbånd	armbånd
패션	mode	mode	mote
팬케이크	pannkaka	pandekage	pannekake
펜	penna	pen	penn
편도표	enkelbiljett	enkeltbillet	enkeltbillett
평일	veckodag	ugedag	ukedag
포도	druva	drue	drue
포크	gaffel	gaffel	gaffel
폭풍	storm	storm	storm
품절	utsåld	udsolgt	utsolgt
품질	kvalitet	kvalitet	kvalitet
프랑스	Frankrike	Frankrig	Frankrike
프랑스어	franska	fransk	fransk

프론트	reception	reception	resepsjon
프린터	skrivare	printer	printer
피부	hud	hud	hud
피자	pizza	pizza	pizza
피팅 룸	provrum	prøverum	prøverom
핀란드	Finland	Finland	Finland
핀란드어	finska	finsk	finsk
학교	skola	skole	skole
한국	Korea	Korea	Korea
한국어	koreanska	koreansk	koreansk
할머니 /외할머니	farmor /mormor	bedstemor	farmor /mormor
할아버지/외 할아버지	farfar/morfar	bedstefar	farfar/morfar
항공사	flygbolag	flyselskab	flyselskap
항공우편	flypost	luftpost	luftpost
항공편	flygning	flyvning	flygning
항공편 번호	flygnummer	flynummer	flightnummer
항구	hamn	havn	havn
해	sol	sol	sol
핸드백	handväska	håndtaske	håndveske
핸드폰/ 스마트폰	mobil / smart telefon	mobil / smart telefon	mobil / smarttelefon

247

햄	skinka	skinke	skinke
향수	parfym	parfume	parfyme
허리케인	orkan	orkan	orkan
허벅지	lår	lår	lår
현금	kontanter	kontanter	kontanter
형제	bror	bror	bror
호스텔	vandrarhem	vandrehjem	vandrerhjem
호텔	hotell	hotel	hotell
홍수	översvämning	over svømmelse	flom
화요일	tisdag	tirsdag	tirsdag
화장	smink	makeup	sminke
화장실	toalett	toilet	toalett
환불	återbetalning	tilbage betaling	tilbake betaling
환율	växelkurs	valutakurs	valutakurs
환전	valutaväxling	valutaveksling	valuta veksling
회색	grå	grå	grå
횡단 보도	övergångs ställe	fodgænger overgang	fotgjenger overgang
후식	efterrätt	dessert	dessert
후추	peppar	peber	pepper
흰색	vit	hvid	hvit
1 월	januari	januar	januar

248

10 월	oktober	oktober	oktober
11 월	november	november	november
12 월	december	december	desember
2 월	februari	februar	februar
3 월	mars	marts	mars
4 월	april	april	april
5 월	maj	maj	mai
6 월	juni	juni	juni
7 월	juli	juli	juli
8 월	augusti	august	august
9 월	september	september	september
ATM	bankomat	pengeautomat	minibank
PC 방	internetkafé	internetcafé	Internettkafé